La montée aux

Maurice Magre

Alpha Editions

This edition published in 2024

ISBN : 9789361472480

Design and Setting By
Alpha Editions
www.alphaedis.com
Email - info@alphaedis.com

Contents

LE JARDIN MAUDIT

LE JARDIN MAUDIT

Dans le jardin maudit je suis venu, moi, l'homme,
Ayant pour conducteur l'être aux yeux de serpent.
Là, la terre est pourrie et les poisons embaument,
Là, les oiseaux du ciel ne vivent qu'en rampant...

Or, les pierres saignaient, la rose était vivante,
J'ai pris la fleur aromatique du sureau,
Elle m'a fait aux doigts une tache sanglante,
Ses pétales gluants se collaient à ma peau.

D'un vivier croupissant sortait une odeur fade.
Des miasmes de typhus par le vent soulevés...
Vers ma face penchaient d'étranges lis malades.
Dans leur calice mort dormait un œil crevé.

Des arbres mous avaient des blessures ouvertes,
Des humeurs ressemblant à celles de la chair,
Et les pousses du bois au lieu de jaillir vertes
Étaient blanchâtres et vivaient comme des nerfs.

Le lait de chaque tige était la sève humaine.
La pivoine semblait un grand cœur arraché.
Dans la fleur du sorbier d'où soufflait une haleine
S'ouvrait un sexe affreusement martyrisé...

Un amandier était fleuri de mains coupées;
Un tronc, comme une femme, avait des cheveux d'or.
J'arrivai près d'un champ de grotesques poupées,
Des enfants dans le sol poussaient là, drus et morts.

Un printemps écœurant d'une chaleur mouillée
Baignait l'arbre de chair et la plante de sang.
La nature par la souffrance travaillée
Créait avec ardeur mille êtres repoussants.

Alors, je vis venir vers moi les créatures.
Impudiques et laids, enfantins et chenus

Et pareils à des échappés de la torture,
Vous trébuchiez et titubiez, hommes tout nus!

Ils étaient boursouflés, extravagants, exsangues.
Celui-ci dans l'œil droit avait un clou de fer,
L'un portait un carcan, l'autre avait une cangue,
Celui-là rayonnait et montrait un cancer.

Et tous, l'être sans dents, l'être aux orbites vides,
L'être dont des grosseurs faisaient le crâne lourd,
Tous étaient satisfaits, tous se trouvaient splendides,
Ils portaient avec eux leur mal avec amour.

Ils ne s'étonnaient pas de la forme des choses,
De la feuille trop pâle et du bois trop laiteux.
Ils pressaient sur leur peau le sang vivant des roses,
Aux tiges tièdes ils buvaient les sucs douteux.

Les saponaires savonneuses des pelouses
Étaient des lits mouillés pour leurs corps maladifs
Et la tulipe obscène et le chardon ventouse
Faisaient vibrer de spasmes fous leurs nerfs à vif.

Ils ont en me voyant poussé des cris de joie
Et l'un m'a fait toucher du doigt le trou sans œil.
Un autre m'a tendu le fer perçant son foie,
Tous m'ont montré leur plaie ouverte avec orgueil.

Ils ont cueilli des fleurs dans le parterre étrange
Et sur ma bouche ils sont venus les écraser
Et j'ai senti le goût humide du mélange
Des végétaux, du suc humain et du baiser.

Un soleil déformé, jaunâtre, bas, énorme
Se reflétait sur des marais de désespoir...
Et les plantes sans nom et les humains difformes
Se mêlaient dans l'éclat du fantastique soir...

Et moi, je n'ai pas fui parmi les crucifères,
J'ai regardé jaunir le jardin sans regrets.
Je me suis rappelé que c'étaient là mes frères,
Que j'allais devenir leur pareil. J'ai pleuré...

—Ayant pris l'être aux yeux de serpent comme guide,
En mars, dans le mois de la guerre, un vendredi,
Moi, l'homme, avec mon cœur qui fut jadis candide,
Voilà ce que j'ai vu dans le jardin maudit.

ÉPIGRAPHE

ÉPIGRAPHE

Sans robe, sur le lit, tu t'étais allongée.
Je regardais ton corps et la chambre orangée
Dans la phosphorescence et la chaleur du soir
Se refléter au fond des pâleurs du miroir.
Et tout à coup, je vis les choses familières,
Sous un verdissement bizarre de lumière,
Qui se décomposaient, prolongeaient leurs contours,
Se muaient en êtres humains aux torses courts,
Aux cous trop longs. Je vis les meubles de la chambre
Qui se prenaient entre eux et qui tordaient leurs membres,
Revêtaient une forme à l'aspect animal.
Un palais fantastique et caricatural,
Avec des lacs de chair, de vivantes tentures
Et des contorsions d'obscènes créatures
Et des sexes géants figurant des piliers,
Remplaçait l'endroit cher où, sur ton bras plié,
Reposait en rêvant ta tête éblouissante.
Mais hors du lit, coulant comme une eau jaillissante,
Tu tordis tes cheveux qu'électrisait le soir
Et tu vins écraser tes seins sur le miroir,
Et ton buste d'enfant, souple comme une lame.
Et moi, voyant cela, j'avais peur dans mon âme
Que les bouches et que les bras que tu frôlais
Ne te fissent tomber dans l'étrange palais.
Mais tu ne voyais pas l'architecture folle,
Ni les accouplements, ni les affreux symboles,
Et tu riais devant le miroir argenté
De ta peau de fruit clair et de ta nudité.

L'ANE A CORNES

COMBAT DE FEMMES

Elles devaient se battre au couteau, toutes nues...
L'odeur du vin sortait d'un tonneau débouché...
Le bouge rayonnait sous la lumière crue...
Un patron monstrueux lavait le zinc taché...

Les filles attendaient avec des yeux qui flambent,
Couchant leurs corps contre les hommes attablés.
Par la porte du fond on voyait une chambre,
Les housses, la pendule et les draps maculés.

C'est pour ce paradis qu'elles allaient se battre,
Pour s'y vautrer avec l'enfant ensorceleur
Dont les yeux d'assassin et le teint olivâtre
Les changeaient toutes deux en louves en chaleur.

Il fumait et jetait au plafond la fumée.
Les voix se turent. L'on fit cercle avidement.
Les rivales étaient par le rut animées,
Impudiques, elles riaient sauvagement.

Et la blonde semblait une grande génisse
Avec des bas de soie et de puissantes mains.
La brune charriait dans son sang tous les vices
De la rue. Elle avait une odeur de jasmin.

C'était un serpent noir qui portait sur le crâne
Une rose et ses seins étaient fermes et droits.
Pour égayer encor le public qui ricane
Elle fit devant lui danser son ventre étroit.

Et puis les deux couteaux luirent dans l'air opaque,
La sueur ruissela sur les corps furieux,
On entendit les coups sur les membres qui craquent,
Une main empoigna la toison des cheveux.

Les yeux des spectateurs s'exorbitaient de joie,
Ils appelaient le sang par des mots orduriers.
La blonde par la nuque avait saisi sa proie
Et s'efforçait de l'écraser sur le plancher.

Alors, le serpent noir dans le sang qui l'inonde
Roula ses reins presque brisés sous l'étouffoir
Du corps et de son arme ouvrit en deux la blonde
Qui fit: Ahan! comme une bête à l'abattoir.

Les témoins prirent peur et vidèrent la salle.
Le jeune homme toujours fumait paisiblement,
Et la brune, les mains sanglantes, triomphale,
Sur la morte gesticulait obscènement.

Un gramophone au loin berçait la nuit des bouges...
Le pas de la police errait sur les pavés...
Et la chair qui sentait le jasmin, la chair rouge,
Put enfin s'enfoncer au fond du lit rêvé.

Celle qui demeurait vainqueur de la rafale
Des poings épais et du couteau la tailladant,
Geignit d'amour sous le baiser des lèvres mâles
Qui buvaient sa salive et qui mordaient ses dents.

L'autre, selon la loi du faible, n'eut pour couche
Que le plancher pourri maculé de son sang
Et n'eut pour seul baiser que celui d'une mouche
Bleue et verte, qui vint sur elle en bourdonnant...

LE JEUNE HOMME AUX CITRONS

La porte était de bronze, étroite, ornementée...
Elle s'ouvrait au fond d'une rue écartée.
Tout de suite une odeur de rose et de jasmin
M'enivra, je suivis une petite main
Qui dans l'ombre sortait d'une manche vert pâle.
Un portique, une salle, un jet d'eau sur des dalles,
Des coussins noirs et des lanternes au plafond
Et de lourds citronniers tout chargés de citrons...
Avec trois fruits d'or clair un jeune homme nu jongle
Il vient de se baigner; l'eau fait briller ses ongles.
Il lance les citrons dans l'air et quelquefois
Une goutte d'argent vole aussi de ses doigts.
Derrière, à pas de loup, marche une jeune fille.
On comprend à ses bras levés, ses yeux qui brillent
Qu'elle va pour jouer le surprendre, baisant

Ses lèvres, étouffant son rire entre ses dents.
Mais je passe... Et c'est une chambre cramoisie
Avec une statue aux hanches amincies
D'une vierge peut-être ou d'un adolescent
Et du marbre du cœur coule un filet de sang,
Car un stylet d'acier traverse son sein gauche.
Et dans l'ombre, une forme à genoux, toute proche.
Fait le geste des mains pour recueillir le sang.
Mais je passe... Le bruit des gonds, le seuil glissant,
Les quartiers morts dormant au bleu des lunes mortes...
—Depuis, j'erre le soir pour retrouver la porte
De bronze et le parfum de rose et de jasmin.
Je gravis des perrons, je touche avec la main
Des heurtoirs et je cherche en les serrures vides
Le jongleur de citrons au visage splendide,
Les gouttes d'eau, la femme et son rire muet,
L'être au sexe inconnu dont le marbre saignait...

LA PREMIÈRE NUIT AU COUVENT

Dans sa cellule s'éveilla la carmélite.
Elle tâta d'abord sa tête aux cheveux courts,
Se souvint du froid des ciseaux, de l'eau bénite
Et du bruit du portail fermant ses battants lourds.

Sa chemise grossière abîmait de brûlures
Son corps pur. Toute moite elle avait des frissons.
L'ombre du Christ faisait une caricature...
Elle entendit des voix derrière la cloison...

Et c'étaient les voix de désir, les cris, les plaintes,
Le doux frémissement de la chair sur les draps
Et les gémissements de deux femmes étreintes
Qui ne font plus qu'un corps par la chaîne des bras.

Des pas furtifs glissaient dans le couloir immense.
Elle entr'ouvrit la porte et vit courir ses sœurs
Et toutes relevaient leur robe avec aisance
Et découvraient leurs jambes longues sans pudeur.

Quelque chose d'étrange était dans leur allure
Un rire fou les secouait, faisant saillir

Des seins inattendus et des croupes impures
Sur ces corps qui semblaient de rêve seul fleurir.

Viens avec nous! lui dirent-elles. Leurs mains chaudes
L'entraînèrent. Dehors l'escalier solennel
Et le cloître d'argent sous la lune émeraude
Avaient l'air d'un décor fantastique et cruel...

Avec des ventres gros et des faces lubriques
Des moines à travers les piliers ont surgi,
Saisissant par les reins les nonnes impudiques,
Les renversant, les culbutant avec des cris.

Et les cloches soudain dans les tours retentirent,
Sonnant une danse burlesque, un galop fou,
Et parmi les appels hystériques, les rires,
Les poitrines cognaient et claquaient les genoux.

La novice fuyait avec sa robe ouverte,
Mais de partout, des mains sortaient, la pétrissant,
La roulant sur les dalles froides, l'herbe verte,
Meurtrissant son corps nu d'étreintes jusqu'au sang.

Les grands saints alignés sous les arceaux gothiques
Soulevaient leur robe de pierre en ricanant,
Ou, gardant sur leur socle une pose extatique,
Étaient à son passage horriblement vivants.

Elle courut à la chapelle. Là des vierges
Étalaient sur les croix leur corps crucifié.
Elles riaient dans le clignotement des cierges...
Un prêtre officiait en dansant sur un pied...

A cheval sur un grand balai, la supérieure
Conduisait une farandole dans le chœur,
Et des soupirs, des bruits d'amour, des voix qui pleurent
Venaient des coins obscurs dans des parfums de fleurs.

Et brisée, elle vit, par la porte des cryptes,
Un adolescent nu, mince et brun émerger,
Portant un croissant d'or et des bijoux d'Égypte,
Ayant le torse creux et le buste léger.

Sa chair était de bronze, un triple cercle en jade
Faisait sur son front mat comme un glauque bandeau.
Il marchait lentement parmi les colonnades
Et la fixait de loin avec des yeux vert d'eau.

«Satan, je suis à toi, cria-t-elle, je râle
De plaisir à te voir et tords pour toi mes reins.
Voici toute ma chair offerte sur ces dalles.
Prends-moi sous cette châsse, à l'ombre du lutrin.»

Elle éclatait comme une rose près d'éclore
Et lui la laboura d'un long baiser savant...
«O Satan! O seigneur!» C'était déjà l'aurore...
—Telle fut la première nuit dans le couvent...

LE MÉDECIN AVORTEUR

Je suis un médecin louche d'avortements.
Le soir, dans un quartier perdu, secrètement,
Mon logis clandestin s'ouvre aux filles enceintes.
J'écoute leur histoire éternelle, leurs plaintes,
Je tâte le malheur du corps supplicié
Et c'est toujours pareil et j'ai toujours pitié.
Je suis un charlatan aux secrets salutaires
Qui connaît le revers du baiser, la misère
De ces flancs de plaisir qui sont devenus lourds
Et je tue au berceau stérile de l'amour
Avant qu'il ait poussé le cri de la naissance,
L'atome au sexe humain dans le germe en puissance.
Je suis un médecin béni des malheureux,
Car j'apaise les nerfs et je sèche les yeux
Et fais passer la loi des pauvres créatures,
Avant l'inexorable loi de la nature.
Mais vous, races sans nom, vivants indésirés,
Blés corporels qu'aucun soleil n'aura dorés,
Larves aveugles qui mourrez avant de vivre,
Cellules du malheur, c'est moi qui vous délivre
De la séduction, des méchants, des ingrats,
Du baiser qui trahit, de l'amour qu'on n'a pas,
De l'abandon glaçant les chambres solitaires,
Des peines qui rongeaient celles qui vous portèrent,
De tant de maux, de tant de pleurs, en vous jetant

Dans le repos de l'ombre et la paix du néant.

LA BALEINE EN RUT

Comme elle avait suivi le poulpe et l'espadon,
Dans des mers charriant les herbes des Florides,
La baleine sentit passer par ses fanons
Le terrestre printemps et ses tiédeurs fluides.

Le soleil descendait parmi les archipels...
Elle courut dans l'or et les phosphorescences
Projetant des jets d'eaux de toute sa puissance,
Pour s'ébrouer parmi des chemins d'arc-en-ciel.

Elle voulut d'abord épouser la chaloupe
Que d'un grand élan fou poussaient les pagayeurs.
Elle approcha ses flancs onctueux de sa poupe
Et la cassa du battement de son grand cœur.

Brûlant de la chaleur d'un sexe gigantesque,
Elle voulut de sa nageoire en éventail
Étreindre une île au corps dentelé d'arabesques
De pierre, avec des seins de craie et de corail.

Elle ne put monter sur elle et dans l'eau bleue,
Cherchant éperdument une forme à saillir,
Avec le battement immense de sa queue
Essaya d'épuiser sa force et son désir.

Mais le rut de la mer vibrait au creux des anses.
Les crabes se prenaient dans leurs pinces entre eux
Et les poissons volants, ivres de jouissance,
Faisaient sur les embruns des cercles lumineux.

Des électricités baignaient le fond des criques.
Le poisson-scie aimait la torpille au long corps.
On entendait mugir les squales hystériques,
La coquille univalve ouvrait un sexe d'or.

Et la baleine alors sentant passer sur elle
La douleur d'être seul familière aux géants,

A travers les bas-fonds aux fleurs surnaturelles
S'élança dans la nuit des abîmes béants.

Mais le peuple des flots fuyait devant sa masse.
Les polypiers fermaient leurs molles cavités.
Les poissons éperdus plongeaient dans les crevasses
Les infusoires verts éteignaient leurs clartés.

Les déserts sous-marins ont des splendeurs si vastes!
C'est là que vous dormez, coques des vaisseaux morts!
Dans cette solitude où l'on ne voit plus d'astres,
La baleine glissa par les courants du nord.

Dans les forêts de madrépores fantastiques,
Broyant avec ses flancs les perles par millions,
Brûlante, elle roula vers les pays arctiques,
Vers la mer froide où les soleils sont sans rayons.

Mais même dans les bleus d'aurore boréale,
Ne projetant que des jets d'eaux cristallisés,
Elle fondait encor les grands icebergs pâles,
Les banquises de neige avec son chaud baiser.

L'ANE A CORNES AU PALAIS

L'âne à cornes se vautre au fond du lit de soie.
Parmi le cramoisi des pourpres qui flamboient
Il roule son poil court et ses sabots épais.
Il porte à chaque patte un large bracelet,
Un diadème d'or luit entre ses oreilles.
A genoux près de lui des femmes s'émerveillent,
Suivent ses mouvements avec des yeux ardents,
Baisent avec amour la bave de ses dents.
Lui, rit dans les miroirs et se trémousse aux lampes.
Dans l'or fluide des chevelures il trempe
Ses naseaux mous, il mord pour se distraire un sein,
Ou renverse sous lui quelque corps enfantin
Qu'il possède avec des braiements épouvantables.
Le cortège aux yeux purs des vierges désirables
Se presse alors plus vite aux portes du palais.
Aucun visage de jeune homme ne leur plaît.
Toutes rêvent d'avoir pour poser leur front pâle,

L'âne à cornes royal au dos jauni de gale.

LE CHATIMENT DU LUXURIEUX

Il est dans un boudoir aux tentures vivantes
Et touche sans cesse, de la chair et des yeux.
Tous les objets sont des poitrines languissantes.
Il s'enfonce dans un divan gélatineux.

Il hume à pleins poumons l'odeur des sexes fades
Dont l'écœurant bouquet obscurcit son cerveau.
Il les voit par milliers dans les miroirs malades,
Il est illuminé par ces flasques flambeaux.

Lourde et belle, une femme avec des dents pourries,
Se penche sur sa bouche et la baise et la mord.
Dans sa salive et son haleine de carie
Elle verse à la fois le désir et la mort.

Elle se colle à lui, le parcourt et le presse
Et lui donne un plaisir plus cruel qu'un tourment.
Elle le serre avec une telle caresse
Que sa sève s'écoule intarissablement.

Il décroît, s'aplatit, se vide comme une outre,
Mais pour renaître avec un corps qui s'est gâté,
Une chair tachetée et par endroits dissoute
Avec des plaques parsemant sa nudité.

On dirait qu'une mouche énorme et verte pompe
Ses cellules et les substances de son sang
Et qu'une tentacule inlassable, une trompe
De bête, le dévore et tour à tour le rend.

Plus son désir grandit, plus il se décompose
Dans la sueur d'amour du salon corporel.
Il devient dans l'excès des odeurs et des roses
Une tombe vivante, un charnier sensuel.

Les meubles hoquetant autour de lui s'accolent,
Il est enveloppé par d'invisibles mains,

Par l'aspiration de mille bouches molles,
Un peuple jaillissant de jambes et de seins.

Des démons caressants et velus le renversent,
Ses nerfs vibrent jusqu'aux racines des cheveux
Et des doigts en forme de fourche le transpercent,
Il se sent pénétré par des langues de feu.

«Seigneur, dit-il, pitié, mets un sceau sur ma bouche!
Je voudrais allonger et reposer mon dos.
Une heure de sommeil seulement dans la couche
Dont l'étroitesse ne permet que le repos...»

Mais la femme éternelle à la bouche édentée,
La Parque de la terre et qui file la chair
Lui prodigue toujours son haleine gâtée
Et ses reins réguliers et forts comme la mer.

L'ANE A CORNES SUR LA TOUR

L'âne à cornes gravit l'escalier de la tour,
Sur les dalles faisant sonner ses sabots lourds...
Les nains au corset bleu, les courtisanes grecques,
Les eunuques, les ruffians et les évêques,
Les mendiants, les sorciers, les nègres, les imans,
Avec les bracelets, les croix, les talismans,
Regardent sur la place, immobiles, la bête
Dont le vent fait gonfler la robe violette
Et demeurent figés, épouvantés, muets.
Et quand l'âne royal atteignit le sommet,
Le soleil flamboya dans sa mitre écarlate,
On le vit se dresser sur ses puissantes pattes
Et debout il se mit à braire puissamment.
Et bien mieux que l'éclat des cloches, ce braîment
Retentit à travers les couloirs, les portiques.
Les jeunes gens firent voler leur dalmatique,
Les courtisanes s'allongèrent en riant
Et des eunuques fous tournèrent en dansant.
Aux balcons du palais des princesses parurent,
Otant leurs vêtements et criant de luxure.
Des musiciens brisaient leur luth sur les piliers.
Des femmes avalaient les perles des colliers.

Une négresse alla dépouiller la statue
De Pallas Athéné et marcha, revêtue
Du casque en bronze vert et du bouclier bleu.
Et là-haut, sur la tour, le soir baignait de feu
L'âne à cornes, ses grands bijoux talismaniques
Et son dos recouvert d'une gale magique...

LE BAL FANTASTIQUE

La reine au masque rouge a passé dans le bal...
Elle a touché les uns de ses ongles en pointe
Et les autres de sa babouche de cristal...
Son frôlement a séparé les formes jointes...

Son passage a fait trébucher dans l'escalier,
Les évêques en mitre et les rois en simarre.
Les noirs valets ont laissé choir les chandeliers...
Le jardin du château s'est empli de fanfares...

Les mornes invités sont devenus hagards.
Ils ont tourné dans un ballet funambulesque.
L'éclat du masque rouge a teinté leurs regards
Et stimulé l'élan de leur danse grotesque.

Une étrange fureur a pris les dominos.
Les arlequins dans l'air ont fait siffler leur batte,
Les Faust ont transpercé le cœur des Méphisto,
La danseuse a crevé les yeux de l'acrobate.

Elle a tourbillonné dans les groupes épars,
Comme une fleur dansante, imprenable et lascive,
Tendant de ses seins nus la chair brûlante et vive,
Griffant de temps en temps une face au hasard.

Le désir animait les mains lourdes de bagues...
L'un broyait une gorge tendre entre ses bras
Et l'autre déchirait la jupe avec sa dague.
Le sang giclait dans un clinquant de mardi gras.

Parmi les bijoux faux et la soie écarlate,
Deux femmes s'étreignaient en un baiser ardent,

Mordant avec amour leurs bouches délicates,
Écrasant le carmin et le sang sur leurs dents.

Un page lacérait une mauresque brune...
Deux vieillards torturaient un blême adolescent...
Un pierrot fou hurlait comme un chien à la lune,
Sur un balcon ouvert devant des cieux de sang.

Un cortège a paru de moines en cagoule,
Qui chantaient gravement d'obscènes oraisons,
Et les masques, comme des grappes qui s'écroulent,
Se vautraient, à ce chant rythmant leur pâmoison.

Soudain, un courant d'air a soufflé les bougies.
L'aurore a rougeoyé dans le bleu des miroirs
Comme un soleil couchant, sur un faste d'orgie...
Devant les portes grimaçaient les valets noirs...

La reine au masque rouge est montée en carrosse.
Et des cors ont joué, parmi les bois prochains,
Un air bizarre et long et tellement atroce
Que les oiseaux sont morts dans les branches des pins.

Le sang sur les parquets faisait de grandes flaques...
Les spasmes, les hoquets et les cris de douleur
Étaient sinistrement mêlés dans un cloaque
De pourpres, de bijoux, de coupes et de fleurs.

Et plus tard, une femme ayant sur la poitrine
Une croix qu'un ivrogne avait faite de vin,
Descendit du perron, toute nue et divine
Pour se baigner paisiblement dans le bassin...

LES ÉPHÈBES ET LA FEMME HYDROPIQUE

Les éphèbes avec des ceintures cerise.
Leur peau brune poncée et les chevilles prises
Par des anneaux de cristal vert, dansaient entre eux,
Dans le salon grenat, odorant, ténébreux...
Quelques-uns agitaient des éventails de soie
Ou, le corps frémissant d'une bizarre joie,
Se pâmaient au milieu des coussins nuancés

D'un art tel que les uns évoquaient le passé,
Et d'autres les plaisirs pervers, d'autres les rêves.
Dans un vase d'onyx croissait l'arbre sans sève.
Et le plus beau parmi les beaux adolescents
A peine assis au bord d'un sopha bleuissant,
Son front frisé penchant sur son poignet fragile
Chanta l'étreinte vaine et les amours stériles.
La porte alors s'ouvrit, laissant passer le vent
Et la femme hydropique avec ses seins mouvants,
Sa bouche, ses grands pieds, et son odeur de femme,
Entra, hurlant un sexuel épithalame,
Des paroles de chair, des mots de rut chargés.
Elle roula parmi les coussins dérangés,
S'aplatit en riant, s'affala dans sa force
Et d'un éphèbe évanoui saisit le torse...
Dans leur fuite éperdue au fond du corridor,
Les éphèbes courant perdent leurs bagues d'or
Et plus loin dans la cour que les jets d'eaux arrosent
Tombent leurs anneaux verts et leurs babouches roses...

LA PRIÈRE DU SOIR

Je regardais prier la jeune fille en deuil
Debout et ses deux mains s'appuyant à la chaise.
Les piliers jaillissaient au ciel avec orgueil,
Les vitraux éclataient de bijoux et de braises.

On sentait la ferveur ardente de l'esprit
Dans l'élan de son corps et la pudeur des voiles,
Les chaires s'éployaient dans le chœur assombri
Où se cristallisaient les lampes en étoiles.

Et soudain sur l'autel un visage apparut,
Fendant le tabernacle en forme de losange,
Et je connus, à voir ses yeux mats et fendus,
Que c'était là Satan, le plus triste des anges.

La chapelle s'emplit d'étranges Chérubins,
Un pli pervers au coin de leurs bouches trop roses,
Hors du vieux bénitier, comme l'on sort d'un bain
Un démon noir et nu jaillit, tenant des roses.

La jeune fille ouvrait ses bras en frémissant.
Des confessionnaux, des châsses polychromes,
Des êtres surgissaient, bronzés et languissants,
Luxurieusement sortaient des formes d'hommes.

Et quelques-uns avaient des babouches d'argent,
Des turbans verts et des colliers talismaniques.
Les démons se changeaient en Iblis d'Orient,
Des bruits de tambourins berçaient la basilique.

Puis marchèrent, légers, à travers les arceaux,
Des jeunes gens frisés sous des tuniques grecques.
Les Eros remplaçaient les anges des vitraux,
Adonis se leva du tombeau des évêques.

Des bacchantes, les seins de leurs doigts lacérés,
Trouaient de blanc l'air que l'encens faisait opaque
Et couraient çà et là, ivres de vin sacré,
Comme aux soirs fastueux des fêtes dionysiaques...

Des Osiris, moitié hommes, moitié taureaux,
Sur les dalles jetaient les Aphrodite blondes.
De lunaires Tanit couvertes de joyaux,
Recevaient des Baal les étreintes profondes.

Des Thamuz poursuivaient de fuyantes Ishtar;
Sabaoth déployait son ventre de ténèbres.
Sous les ciboires d'or et les cierges blafards,
Teutatès et Mithra confondaient leurs vertèbres.

Puis ce fut un fourmillement plein de fureur,
De vagues dieux grossiers des temps cosmogoniques,
D'une animalité sans forme et sans couleur,
De signes primitifs, de pierres priapiques.

Et les verrières en flambant firent pleuvoir
Des étoiles et des soleils d'Apocalypse,
Et sous les voûtes ruisselantes, je crus voir
La jeune fille nue en des clartés d'éclipse...

Les bouches fa buvaient et les bras la pressaient,
Vers son corps déferlaient des fleuves de caresses,

Des océans d'amour entre ses seins passaient,
Elle était tous les dieux et toutes les déesses...

Plus rien. Un angélus d'une tour a glissé...
La basilique en feu s'éteint comme une torche...
La jeune fille en deuil s'en va, les yeux baissés,
Et son long voile noir m'effleure sous le porche...

VISITE MATINALE

J'ai sonné... le couloir sent l'opium et l'ambre.
Quel étrange visage a la femme de chambre!
Derrière les rideaux j'entends des frôlements!
Maison des voluptés et des enchantements
Des langoureuses nuits et des étreintes mortes!
J'avance à pas de loup et je pousse une porte.
Une femme est couchée en croix sur une peau.
Une trace de dents au sein droit fait un sceau
Charnel, dont on marqua cette chair épuisée.
La bouche semble vide et la nuque brisée
Dans l'abandon immense et le renversement
De la tête où les cils vivent seuls par moments.
Sous une soie en feu dont l'écarlate flambe
Une autre laisse voir la naissance des jambes,
Et les genoux étroits que des mains ont marbrés.
Deux êtres sur le lit sont tellement serrés
Qu'on ne voit qu'un seul corps avec deux chevelures.
L'odeur fade de sève humaine et de luxure
Me saisit à la gorge et me fait défaillir.
Quel visage charmant aurais-je vu jaillir,
Creusé par l'insomnie et les mauvaises joies
Si j'avais soulevé la pourpre de la soie?
Horrible est le plaisir qu'on n'a pas partagé!
Des roses en tombant ont un soupir léger,
Et sur le cercle obscur que dessinent les robes
Filtre pudiquement un triste rayon d'aube...

LA PRINCESSE ET LES LAQUAIS

Le repas dans l'hôtel flamboyait sous les lustres
Et s'achevait dans un grand cérémonial...

Le vin n'animait pas les convives illustres,
Les diamants luisaient sur plus d'un front royal...

Des vieillards sous les croix, les ors, les uniformes
Levaient leur verre avec des doigts momifiés.
On voyait par la porte un escalier énorme,
Le morne alignement des grands fusains taillés.

La petite princesse, au fond d'une carafe
Regardait le contour de son visage étroit,
Jouait d'un couteau d'or, tourmentait une agrafe,
Buvait l'ennui sans fin avec ses beaux yeux froids.

Lorsque ses hauts talons sonnèrent sur les dalles,
Les courbettes firent plier les mannequins.
On la vit s'éloigner, blanche, de salle en salle,
Avec sa gorge nue et sa robe en satin.

Mais nul ne vit l'œillade au groupe des tziganes,
Ni le signe muet qu'elle fit en passant,
En avançant sa bouche au tissu diaphane
Vers le laquais cynique, immobile et puissant.

Les lustres un à un à minuit s'éteignirent,
Mais ensuite quelqu'un vint et les ralluma,
Le couloir se remplit de pas furtifs, de rires
Étouffés, une fête étrange commença.

Les trois filles étaient d'abord intimidées,
Minaudaient et croisaient leur châle sur leur peau.
Mais la princesse mit à leur bouche fardée
Le chaud baiser qui rend tous les humains égaux.

Elle les dévêtit et leur tendit les verres
Dont le vin débordant lui coulait sur les bras,
Elle dansa, tendant ses bijoux aux lumières
Ou se blottit près du laquais au menton ras.

Elle fuma, croisant ses jambes sur la table,
Culbutant de son pied les cristaux et les fleurs,
Et l'âme en proie à un génie inexorable
Elle cria des mots grossiers avec fureur.

Un tzigane jouait une valse en sourdine,
Un autre maintenait une fille sous lui.
Les bouteilles gisaient comme des javelines
Dont la flamme à travers les gorges avait lui.

Et vautrée au milieu des plats d'or et des grappes,
Son dos clair s'écrasant sur des magnolias,
La robe déchirée, ayant pour lit la nappe,
La princesse pâmée au laquais se donna.

L'aube cristallisa l'hôtel parmi les ombres...
La goutte d'un bijou qu'on perd... Un pas qui fuit...
Un bruit de porte... Un corridor... des formes sombres...
La grosse main carrée où sautent des louis...

LE SÉRAIL MORT

C'est un palais rempli de jeunes filles mortes...
De longs corps délicats sont cloués sur les portes.
Certains, par les cheveux, sont noués aux piliers,
D'autres la tête en bas, pendent dans l'escalier.
Le sang coule parmi les faces puériles,
Le long des seins menus et des sexes nubiles.
De grands nègres hagards passent parmi les corps,
Le long des bassins bleus et des colonnes d'or,
Piquant avec des pieux et tenant par des chaînes,
Des panthères à jeun, ivres d'odeur humaine.
Un air, sur un théorbe indien, traîne et gémit.
Il tombe des vitraux un soleil cramoisi
Et le sultan pensif au haut des balustrades
Remue indolemment ses bracelets de jade
Et parle de l'amour et de son sens profond
Avec le nain bossu qui lui sert de bouffon.

LA CATHÉDRALE FURIEUSE

Ma chair s'est trop roussie à la ville fumante,
J'ai trop reçu de feu dans mes yeux en vitraux,
Je suis lasse d'offrir aux coups de la tourmente
La croupe de l'abside et les seins ogivaux.

Je ne veux plus lever vers les cieux fantastiques
Mes deux jambes de séculaires moellons.
Dans le sexe géant de mon portail gothique
On a trop fait passer le bronze des canons.

Les dalles de mes reins sont lasses et brisées
Et le creux de ma nef craque sous le fardeau.
Ma sève au fond des bénitiers est épuisée,
On m'a trop violée, on m'a cassé le dos.

Je ne verserai plus la sueur des gargouilles,
Je n'entr'ouvrirai plus les lèvres des autels,
Je purgerai mon corps de tout ce qui le fouille,
Je secouerai mes sanctuaires rituels...

J'arracherai les oriflammes qui m'affublent
Et je ferai sortir des tombeaux souterrains
Les archevêques morts en mitres, en chasubles,
Avec des sacrements fantômes dans leurs mains.

Je précipiterai hors de mes sacristies,
Comme un vomissement, les cierges, les lutrins,
Les anneaux pastoraux, les châsses, les hosties,
Crachant dans un hoquet mes reliques de saints.

De mon orgue percé, de mes cloches fêlées,
Je chanterai des chants grotesques et puissants
Et dans le chœur des monacales assemblées
Retentira l'appel de mes échos déments.

Et puis, je briserai moi-même mes colonnes,
J'agiterai les hémicycles de mes reins
Et faisant un bouquet de cloches et d'icônes,
Je lancerai ces fleurs de peinture et d'airain.

Et je lapidérai la ville de mes pierres.
Je lancerai la porte et les morceaux de tours,
Les confessionnaux, les grilles et les chaires,
Je me ravagerai le corps avec amour.

Et quand sous le ciel lourd et sous la lune basse
De la voûte où s'ouvrait jadis le paradis,

Il ne restera plus qu'une affreuse carcasse,
Une église crapaud qui bave, hurle et maudit.

Alors, il jaillira de mes débris immondes
Un grand christ chassieux, mi-homme, mi-serpent,
Dieu pervers de la pourriture du vieux monde
Et les hommes viendront l'adorer en rampant.

Et je rirai, moi la cathédrale hystérique,
Au milieu des chardons et des louches odeurs,
En les voyant fouler l'hostie eucharistique
Et le sang de celui qui fut notre seigneur...

LES CHAMBRES DE L'HOTEL

Les chambres de l'hôtel communiquent entre elles.
Je regarde au retour du vieux minuit fidèle,
Solitaire, allongé dans un banal fauteuil,
La porte peinte en blanc, la porte dont le seuil
A tous les imprévus des rencontres s'oppose...
Que d'êtres séparés par cette porte close
Qui pourtant se seront côte à côte étendus,
Tant d'amitié peut-être et tant d'amours perdus!
Je fais l'ombre et je vois un rais clair sous la porte...
Dans la chambre voisine on veille et l'air m'apporte
Un parfum... Puis des pas étouffés... On dirait
Une robe qui tombe... Un bruit de bracelet
Sur du marbre... Quelqu'un guette ma chambre obscure,
Dans cette goutte de clarté qu'est la serrure...
L'hôtel silencieux repose... mon cœur bat...
Au loin un fiacre passe et je ne bouge pas.
Et soudain dans l'éclat d'une lumière brusque,
Longue et splendide, ayant le torse qui se busque,
Avec un diaman entre ses seins qui luit,
Une femme apparaît sur la porte, sourit,
Fait un geste amical bizarre... Une seconde
Et rien de plus... Et puis l'obscurité profonde,
Un rire de cristal et le bruit d'un verrou.
—Dans quel soir ai-je vu flamboyé ce bijou?
Quel est le souvenir de cette ressemblance?
Le rais clair. Le fauteuil... Les heures... Le silence...
Oh! rêves de minuit dans les chambres d'hôtel,

Quand sonne la pendule au cœur surnaturel!...

L'APRÈS-MIDI DU FAUNE

Imprudente, tu vas sous l'épaisseur des branches,
Dans le parc merveilleux par l'automne doré,
Sans savoir qu'à l'odeur que laisse ta chair blanche,
Moi, le monstre velu te suis dans les fourrés.

A plat ventre, enfonçant mon sexe dans les herbes,
J'ai scruté bien souvent sous le tissu léger
Tes deux jambes en fleurs, vigoureuses, superbes,
Et ta grâce de vierge ignorant le danger.

Et ta nubilité précieuse et vivante,
Cette pudeur sentant le duvet et la peau,
Se confondait pour moi aux odeurs enivrantes
Des vieux buis, des genévriers et des sureaux.

Or, l'automne en chaleur décompose les feuilles,
Du feu sort en vapeurs de l'humus craquelé,
Les marronniers brûlants en gouttes d'or s'effeuillent,
Et je danse en pensant à ton corps violé.

Je pourrais tout à coup te tirer par la tresse
Et te faire tomber d'un geste, sur le dos.
J'étoufferais tes cris de ma forte caresse,
T'immobiliserais du poids de mon fardeau.

Non, je veux te forcer comme on force une bête,
Te faire revenir à l'animalité
Par la peur, te montrant subitement ma tête
Affreuse, et mon corps nu de désir dévasté.

A la course! Pour fuir tu lèveras ta robe,
Mon souffle d'animal te chauffera les reins.
Les arbousiers avec l'œil rouge de leur globe
En passant de leur suc t'humecteront les seins.

Tu heurteras les troncs, glisseras sur les gommes,
La ronce à chaque pas te déshabillera,

Plus fortes que les fleurs, des odeurs mâles d'hommes,
En effluves épais entoureront tes pas.

Tu fuiras jusqu'aux lieux où le parc est sauvage,
Où la racine à vif perce le sol en rut,
Où le pourrissement des bois et des feuillages
Fait un lit séminal aux grands arbres membrus.

Je te culbuterai parmi les fondrières,
Je te déchirerai, je te ravagerai,
Je te ferai sentir tout l'amour de la terre
Dans un élan que rien ne pourra modérer.

Et dans le rythme immense où tu seras plongée,
Tu percevras, tes mains fouillant le terreau noir,
Le baiser des fourmis, l'amour des scarabées,
Des étreintes de mandibule et de suçoir.

Et tu sauras combien est beau le crépuscule,
En sentant sous ton dos broyé par mon poitrail,
Les insectes amants, les couples minuscules
Et tout le grouillement de la terre en travail.

Et, boueuse et sanglante, au sein de la nature,
Tu renieras l'orgueil de ta virginité
Dans ce lit de la vie et de la pourriture
Dont j'aurai fait jaillir l'éternelle beauté.

PLAISIRS DU SULTAN

Le sultan énervé, las des femmes trop grasses
Du harem, des soldats dormant sous leur cuirasse,
Des eunuques trop laids et des chiens assoupis,
S'est fait porter avec ses bonbons, ses tapis,
Son narguilé d'argent et ses flacons de rose,
Dans la cour du palais que le soleil arrose.
Quatre nègres géants dont le torse est bombé
Font luire autour de lui leurs sabres recourbés.
Il s'ennuie, il a froid, il est triste de vivre...
Il fait venir la vierge aux beaux cheveux de cuivre,
Pareils à du feu chaud tressé sur un front pur.
Les nègres saisissant ce corps pétri d'azur

Lui fendent les poignets et pendant qu'elle crie
Versent le sang sur un plateau d'orfèvrerie.
Le sultan trempe alors ses mains languissamment
Dans le sang tiède et voit au fond des yeux charmants
De la vierge, la mort venir des veines vides...
Les sabres recourbés ont quatre éclairs splendides,
Le soleil brûle et le sultan clignant des yeux
Sur le corps étendu jette un grand velours bleu...

L'ESPRIT DE LA MER

Le veilleur dans la tour fit retentir sa corne,
Glaçant d'effroi sur les quais bleus les débardeurs.
Et la plage s'emplit de requins, de licornes
De mer, de poissons morts montant des profondeurs.

Sur les remparts bâtis de galets verts, l'évêque
Parut avec l'étole et la mitre qui luit
Suivi par les calfats, les marchands de pastèques
Qui, tordus par la peur, tendaient les mains vers lui.

Alors, dans l'horizon, le vaisseau gigantesque
S'avança sur les flots qui devenaient cendrés.
Il avait trois ponts noirs de forme barbaresque,
Il était sans fanal, sans voile et sans agrès.

Et sa coque luisait de nacres, de polypes,
De coraux sous-marins, de madrépores d'or.
Les pétoncles et les mollusques qui s'agrippent
S'étaient cristallisés dans le bois des sabords.

Il était cuirassé de la pierre des gouffres,
Il venait de plus loin que les courants des fonds,
Il portait comme un sceau sur sa poupe et ses roufles
Des signes incrustés par d'antiques typhons.

Et sur les ponts, parmi les mâtures fléchies,
Un équipage avec des corps huileux et blancs,
Des marins, respirant au moyen de branchies,
Manœuvraient. Ils avaient des nageoires aux flancs.

Ils portaient des turbans et des burnous d'arabes,
Ils regardaient au loin par d'aveugles yeux ronds.
Quelques-uns avaient des mandibules de crabes,
Et des sabres battaient sur leurs pieds d'esturgeons.

Et tout couvert de talismans kabbalistiques,
Un être avec un bec se tenait à l'avant.
Ses doigts palmés levaient un pentacle magique
Et sa robe en tissu perlé flottait au vent.

Il se fit un reflux d'eaux ternes et malsaines
Et ceux qui se trouvaient sur la plage ont cru voir
Les trois albatros morts sur le mât de misaine,
Avant que le vaisseau s'enfonçât dans le soir...

Depuis la ville semble atteinte de jaunisse...
L'homme languit, frappé par l'esprit de la mer,
Et fou, sur les quais bleus où les bateaux pourrissent,
L'évêque danse avec sa mitre de travers...

FEMME A LA PANTHÈRE

Il fait très chaud... Je marche à travers un jardin
Plein d'aloès. Au loin, résonne un tambourin,
Un chant de caravane ou de tribus en marche.
Je vois un pavillon de bois peint... quelques marches...
J'y cours, je les gravis, et j'hésite, levant
La portière d'argent rayé qui tremble au vent.
Je pénètre... Et sous le tamis des moustiquaires
Celle que la chaleur et le rêve exaspèrent
Dont les reins font un arc tendu par le désir,
Se pâme... Elle me voit et sourit de plaisir...
Elle écarte la gaze, offrant ses seins qui battent
Et son front couronné d'un turban écarlate.
Je tends les bras... Alors dans les coussins épais,
Longue et féline, une panthère qui dormait
S'étire, fait crisser ses ongles, me regarde.
La femme dont la main sur la bête s'attarde
S'offre encore et je vois dans un rais de soleil
Que la femme et le fauve ont des yeux verts pareils...

LA BOUCHÈRE NUE

Le village est cassé, atteint de lèpre, hagard.
Les toits sont par endroits troués par le désastre.
La place boursouflée et le clocher camard
Ont l'air de grimacer au silence des astres.

On dirait que le désespoir et le remords
Sont les hôtes geignants de ces portes de briques.
Mais comme un pou géant enfanté sur les morts
L'orgie au ventre épais bave dans les boutiques.

Des hommes un par un glissent le long des murs.
Là-bas dans une odeur de bête et d'écurie,
Sous le rougeâtre feu du bec de gaz obscur,
Comme une gueule en sang bâille la boucherie.

Ils entrent et parmi les bœufs morts de l'étal
S'accroupissent, luxurieux et pleins de joie.
Les visages ont quelque chose d'animal.
Au loin la lune monte... un chien errant aboie...

Et l'énorme bouchère aux grands seins descendant
Paraît et le public éclate quand elle entre.
Elle rit de plaisir et fait claquer ses dents,
Nue et flasque, elle danse une danse du ventre.

La viande et la sueur sentent également.
Un vieux en ricanant tient la lampe à pétrole
Et la hausse et la baisse à chaque mouvement,
Comme un prêtre bouffon d'une grotesque idole.

C'est pour les spectateurs un plus rare régal
Qu'un festin qu'on ferait dans le décor d'un bouge.
Et la danse ressemble un cérémonial
Du vieux culte de l'homme à la chair de la gouge...

Puis l'on part. L'air est lourd de fièvre et de tabac,
La bouchère tord ses cheveux brillants de graisse...
La lampe fume et meurt... Un peu de sang fait: flac!
C'est la tête de veau pleurant dans l'ombre épaisse...

LA FILLE DU SULTAN

I

La fille du sultan dans sa robe à sequins,
Toute menue au fond de l'étroit palanquin,
Rêve de supprimer l'horrible forme mâle.
Parfois ses longs doigts peints qu'encerclent les opales
Frôlent la favorite assise à ses côtés.
Ses yeux verts sont perdus sous de grands cils bleutés...
Malheur aux jeunes gens qui viennent sur leur porte
Ou sortent des bazars lorsqu'avec son escorte.
Ses eunuques et son grand tigre apprivoisé,
Serrant ses petits seins sous son châle croisé,
Elle rêve aux beautés des lignes féminines.
Malheur aux jeunes gens qui sortent des piscines
Et marchent au soleil couverts de gouttes d'eau.
Ils sont à coup de fouet attachés dos à dos,
On les mène au palais, on en fait des eunuques.
Quand ils sont épilés, revêtus de perruques
Et de robes, sanglants et des chaînes aux pieds,
Demi-hommes déchus en femmes habillés,
La fille du sultan à son balcon regarde
Heureuse et frissonnante, et fait signe à ses gardes
De les frapper plus fort de la lance ou du fouet
Afin qu'ils la supplient de leur voix en fausset.

LES CASTRATS

II

Les castrats, dans la cour, parqués comme des bêtes,
Se rappellent les soirs de puissance et de fête
Où parmi les sorbets, les pastèques, les vins,
Sur les tapis creusés par le désir divin
Ils possédaient le corps des filles barbaresques.
Maintenant revêtus d'affublements grotesques,
Ils sentent chaque jour leur visage jaunir,
Leurs muscles se sécher et leur force finir.
La fille du sultan à l'heure où le soir tombe
Paraît sur la terrasse ainsi qu'une colombe
Au plumage de soie et ruisselante d'or.

Elle enlève un à un les voiles de son corps,
Jette ses bracelets, ses colliers et ses peignes
Et svelte, sur l'azur et le soleil qui saigne,
Elle danse, vers les captifs tendant ses seins.
Et les castrats prennent leur tête dans leurs mains,
Ils maudissent leur chair ridicule et blessée,
Car l'âme est désireuse et la chair est glacée...

LE BAIN ROUGE

III

La fille du sultan aime sa favorite,
L'esclave aux cheveux courts, la pâle Moscovite.
Et comme elle est jalouse elle la fait garder,
Dans la salle aux jets d'eaux par les hommes fardés
Et cruels à qui seuls les adolescents plaisent.
Elle rit trop souvent avec les sœurs Maltaises,
Celle aux roses, celle qui porte un attirail
De talismans et celle à l'anneau de corail...
La fille du sultan dévêt la Moscovite,
Et puis, à se baigner près d'elle elle l'invite,
Ouvrant ses bras menus au milieu du bassin.
Alors elle l'enlace et sur leurs yeux, leurs seins
A toutes deux, le jet d'eau verse un ruisseau rouge,
Une petite pluie en fleurs qui frôle et bouge.
Des trois sœurs aux yeux noirs que l'on vient d'égorger
Il ne reste plus rien que ce jet d'eau léger.
Et dans les marbres bleus il danse, tourne et saigne
Sur les corps frémissants des femmes qui s'étreignent...
Dans le grand escalier l'homme au sabre descend...
Trois corps dans un grand sac... Quelques taches de sang...
Et parmi les coussins où traîne une odeur fade,
Les roses, le corail, les talismans de jade...

LA CHAMBRE DE BARBE BLEUE

La chambre en velours noir aux portes cramoisies...
Les sept corps suspendus à des crochets de fer
Gardent les spasmes morts des vieilles frénésies
Dont les plaisirs divins ont dévasté leur chair.

Dans les flaques de sang qui des gorges déferlent
Est une tache d'or étroite, c'est la clef.
Un petit doigt crispé garde encore une perle,
Un cou brisé de diamants est constellé...

J'effeuille un grand bouquet de jasmins et de roses...
Le vent du corridor fait trembler mon flambeau.
Le souvenir sort des paupières demi-closes...
Comme les yeux des morts sont terribles et beaux!

Voilà celles que j'adorais, mes sept compagnes,
Que j'ai faites périr de mes mains tour à tour.
Et pourtant mon amour chantait dans la montagne
Ainsi qu'une fanfare au sommet d'une tour.

Voilà la Florentine avec sa toison brune
Qui me faisait crier lorsque je la serrais,
Et mon amour était plus ardent que la lune
Qui consume, l'été, les lacs et les forêts.

Voilà le torse étroit de la danseuse Grecque
Et j'embrassais son corps avec plus de ferveur
Qu'un dévot à genoux baise un anneau d'évêque,
Un jour de Pâques plein de cloches et de fleurs.

Voilà les cheveux courts de la Visitandine
Qui gardait un parfum de sacrilège aux seins
Et voilà Belcolor avec ses jambes fines
Et Gaétane aux yeux couleur de ciel marin.

Voilà celle qui, nue, en d'épaisses fourrures
Se jetait brusquement sur le lit de brocart.
Ses dents de louve étaient avides de morsures,
Ses reins battaient comme un bélier sur un rempart.

Voilà la plus petite et son visage d'aube,
La pudique, dont je n'ai pas baisé les doigts.
C'est lorsque mon poignard ouvrit en deux sa robe
Que j'ai su quel trésor était perdu pour moi.

Comme je vous aimais, ô mes épouses mortes!
Vous pouviez demander mes champs et mes châteaux,

Mais vous avez voulu le secret de la porte
Cramoisie, et la mort est venue aussitôt...

Vous ne saviez donc pas, ô femmes bien-aimées,
Qu'il n'est pas de palais qui ne cache en sa tour
La chambre en velours noir, terrible et parfumée
Où dort le souvenir du sang et de l'amour.

Plus jamais! Vos bijoux jettent des éclairs fauves...
Derrière la fenêtre on entend les corbeaux...
Les ongles sont bistrés, la chair est bleue et mauve...
J'effeuille le bouquet et j'éteins le flambeau...

LA MAISON DES ADOLESCENTS

L'adolescent franchit le mur du beau jardin
Car il ne savait pas qu'après les tamarins,
Les seringas géants, les camphriers blanchâtres,
Se dressait la maison secrète aux murs de plâtre
Où vivaient les enfants aux corps luxurieux,
La mulâtresse aux mains savantes, aux longs yeux,
La svelte au tambourin et la toute petite
A tête rase, aux seins couleur de chrysolithe.
Il frappa doucement sur la porte en or peint.
Un rire clair, de l'ombre fraîche, des coussins,
Des fruits dans des plateaux, des vins dans des carafes...
Sur un voile en lin bleu luit l'émail d'une agrafe.
Une bouche agace sa nuque en le mordant,
Un autre prend sa bouche et caresse ses dents.
La musique du tambourin, les lourdes roses...
La robe de lin bleu, la robe de lin rose
Tombent. Ses doigts crispés sur le frêle front ras
L'adolescent se pâme et fléchit dans les bras
Bronzés, puis dort et la nuit vient et la nuit passe...
Et d'autres nuits encor viennent. Les plantes grasses
Éclatent au soleil et les grands camphriers
Murmurent, les lézards courent sur les graviers...
Toujours l'adolescent étreint, renaît, se pâme
Dans le plaisir de chair, sur la chaleur des femmes.
Et lorsque se dressant au milieu des coussins
Il entend par-delà les murs, sur le chemin
Sa mère qui, de loin, l'appelle et se lamente,

Il serre avec ardeur les trois adolescentes
Il répand à leurs pieds une âme sans regrets.
Il est dans la maison dont on ne sort jamais.

L'INCUBE ET LA VIERGE

Elle ôte en s'étirant sa robe et, virginale,
Près du miroir, défait la gerbe des cheveux.
La coupe de cristal sonne de son opale...
Le sein n'est pas formé, le cou n'est pas nerveux.

Toute la pureté de la chair et de l'âme
Emplit comme un parfum ce décor rose et bleu.
L'air est léger et doux, le feu jette des flammes...
Elle sent son corps chaud sous son peignoir soyeux

L'intime solitude et le tiède silence
De leur sécurité lui grisent le cerveau.
Elle a le sentiment pourtant d'une présence.
Elle ferme la porte et croise les rideaux.

Et comme elle pénètre entre les draps où l'ambre
Monte subtilement des oreillers brodés,
Il semble qu'un soupir tressaille dans la chambre...
Elle écoute, le front sur le bras accoudé.

Ce n'est rien. Elle éteint la lumière. Une haleine
Étrange, de la nuque aux talons la parcourt,
Et voilà que soudain pour elle l'ombre est pleine
De souvenirs pervers et d'images d'amour.

Elle veut les chasser, mais toutes les racines
Des duvets de sa peau frémissent en brûlant.
Les draps bougent. Près d'elle une longue main fine
A pris son torse et la caresse en la frôlant.

Elle allume. Elle a peur. Mais non, le lit est vide.
Elle ferme les yeux pour dormir, mais alors
Elle sent sur sa bouche une autre bouche avide,
Qui la savoure ainsi qu'un fruit à pulpe d'or.

Et c'est un corps humain qui près d'elle se glisse,
Dont la forme et l'odeur lui font bondir le sang.
Elle se laisse aller à ce nouveau délice
De croire être blottie entre des bras absents...

Mais ce n'est pas un songe, ô Seigneur! Une forme
Est bien là qui la tient fortement par le cou,
Une puissance d'homme, une carrure énorme
Qui la meurtrit avec les os de ses genoux.

Elle ne pourrait plus s'échapper et du reste
Ne le veut plus. Le lit est splendide et fatal.
Elle flambe à présent des flammes de l'inceste
Contre le compagnon fantastique et brutal.

La tendre jeune fille au beau visage pâle
N'est plus qu'un être de plaisir entre des bras,
Une bête agrippée au lit, une cavale
Qu'un chevaucheur sans nom fait courir sur les draps.

«O bien-aimé nocturne et terrible, demeure!
Par ton large baiser mon visage est mangé.
Enivrons-nous encor du délire des heures
Au creux de ce torrent qu'est le lit ravagé...»

Mais l'aurore apparaît aux carreaux. Elle éclaire
Le linge déchiré, l'empreinte, la sueur,
La trace des doigts durs, le bistre des paupières
Et la chambre déserte... Il fait froid. Le feu meurt...

«Quel est l'être, ô Seigneur, sans âme et sans figure,
Qui dans mon lit de vierge a, cette nuit, couché?
Pourquoi suis-je à présent si souillée et si pure?
Je connais le plaisir infini du péché...»

LE PAGE AUX GANTS MAUVES

On a crucifié le page au maillot noir
Qui chanta les couplets défendus, au boudoir,
Le beau page insolent aux cheveux bleus et fauves.
On a planté les clous à travers ses gants mauves,
Et remis sur son front la toque au plumet long.

Il entend ricaner son ami, le félon
Qui l'a dénoncé, puis c'est l'abbé qui l'exhorte.
Le maître satisfait passe avec son escorte,
Oublieux qu'une fois le souper finissant
Il conduisit, l'ayant grisé, l'adolescent
Vers sa chambre secrète en velours de Byzance.
Des femmes, à la nuit, viennent mettre en silence
Des fleurs devant sa croix, car elles ont aimé
Le jeune homme et dormi dans ses bras parfumés.
Lui, des lèvres tout bas demande quelque chose.
Mais nulle ne comprend. Elles posent des roses
Et s'en vont... Celle dont il refusa l'amour
La petite comtesse espiègle aux cheveux courts,
Vint la dernière avec l'aiguière et le peigne.
Et c'est elle qui nettoya le front qui saigne,
Mit la toque plus droite, arrangea le pourpoint
Et quand il fut coiffé, maquillé avec soin
Et que le sang des gants fut couvert par les bagues,
Elle perça son cœur d'une petite dague.

LA TRISTESSE DU NAIN CHINOIS

Pour faire un boniment près des manèges ivres,
Dans le faste de pains d'épice et d'oripeaux
Des quatorze juillet vibrant du chant des cuivres,
Un soir, il débarqua chez les Occidentaux.

Les trafiquants comptaient sur son épaule torse,
Sur sa face huileuse avec des yeux bénins,
Sur sa natte tressée et cette grande force
De comique que cache une forme de nain.

Non, l'Europe est trop laide et son ciel est malade!
A votre appel, ce soir, il demeurera sourd,
O lutteur dont le muscle éclate à la parade,
O Gugusse assassin, dompteur de phoque et d'ours.

Car dans le bruit que fait la foire et sa folie,
Il entend retomber les rames des sampans,
Sous les palétuviers il compte les coolies,
Dans les sentiers de joncs où dorment les serpents.

Il voit les abris bas pour les âmes en peine,
Le village en bambous auprès du champ de riz.
Le petit temple bleu qui domine la plaine
Et l'ombre tamisée où le Bouddha sourit.

«Je ne danserai pas dans le bruit des cymbales,
Devant ce peuple abject grotesquement vêtu,
Pour la race innommable avec des faces pâles,
Des yeux striés de sang et des mentons velus.

«Vous êtes plus affreux que les dragons de bronze
Que Confucius place au seuil de son enfer,
Que les esprits du mal que conjurent les bonzes,
Avec des bâtonnets en aréquier vert.

«Vous êtes plus mauvais que les Tatars antiques
Qui vinrent ravager l'empire du Milieu
Car ils se contentaient pour trophée, à leur pique,
D'une tête dont ils avaient ôté les yeux.

«Mais vous, dès que vos fils sont sortis de leur mère,
Ils apprennent la mort et ses arts raffinés.
Vous les faites pourrir dans le charnier des guerres,
Vivants, vous les sciez et vous les dépecez.

«Je préfère, voyant vos mufles, vos babines,
Où sont inscrits vos sanguinaires appétits
Les peuplades sans front de l'île Sakhaline,
Les déterreurs de morts du désert de Gobi.

«Votre soleil a l'air d'une lune et me navre.
Vous marchez en mangeant vos enfants dans vos bras
Et c'est ce qui vous fait cette odeur de cadavre
Qui sort de vos habits comme un nuage gras...»

—Le fouet tourbillonna sur le nain impassible.
Les mirlitons criaient et claquaient les drapeaux.
Dans sa face immobile ainsi qu'en une cible
La patronne planta son épingle à chapeau.

Et le lutteur vint lui donner la bastonnade,
Et la foire chanta son plaisir, ses amours...
Toujours le nain voyait parmi le bleu des jades

Un Bouddha souriant au fond du demi-jour...

LE PARC MASQUÉ

Un orchestre étouffé s'échappe du château.
Le soleil jaune et bas fait pâmer les roseaux
De l'étang, et le bal que je vois de l'allée
A l'air bizarre et lent par les portes vitrées
Comme si l'air humide endormait les danseurs...
Il flotte à ras de terre une épaisse chaleur...
Le jet d'eau fatigué s'accroupit sur la vasque.
Dans les arbustes gras je vois passer des masques...
Leurs pieds plongent parmi les feuilles pourrissant
Et l'air semble rouiller leurs manteaux languissants.
Deux pierrettes s'en vont tendrement enlacées.
Leur culotte et leur collerette sont froissées.
Et sous les loups de soie émeraude, je vois
Leurs deux bouches de sang qui s'étreignent parfois.
Elles viennent s'asseoir sur mon banc et m'entraînent,
En riant, en dansant, vers les voûtes lointaines
Que font les sureaux blancs de leurs branches de lait.
Le soir met sa buée en leurs yeux violets.
Leur rire sonne bas et leur danse est très lente.
Elles mêlent encor leurs deux bouches sanglantes
Mais longuement contre mes lèvres et je sens
Le goût des deux baisers fade comme du sang.
Et puis devant une statue elles me laissent.
En étendant les mains je tâte des mollesses
De pétales... L'orchestre au loin berce le parc...
Je vais, par la moiteur brûlante du brouillard
Dans l'allée un peu plus obscure, entre deux files
De dominos fluets, argentés, immobiles.
Je vois les dominos des acacias tremblants,
Les masques gris des pins, les lis aux masques blancs,
Un bal mystérieux s'éveille dans les choses
Et frôlé des sureaux, caressé par les roses,
Je cherche le château, les masques du vrai bal,
Sous l'œil malade et bleu du soleil automnal...

LES GLADIATEURS AVEUGLES

Poussés à coups de pieux hors des grands vomitoires,
Sous les casques fermés et sans trous pour les yeux,
Les Andabates tâtonnant vont vers la gloire
Et l'âme des buccins éclate dans les cieux.

Sur les gradins du cirque où le peuple s'étage
Le vent met des fraîcheurs dans le lin des peplum,
Les yeux sont agrandis d'un rêve de carnage,
Au flamboiement du soleil bleu sur les velum.

Les robes émeraude et la pourpre des toges
Se confondent dans une danse de rayons.
Au loin montent les cris des géants Allobroges
Qui, la pique à la main, surveillent les lions...

Le César languissant et le front ceint de roses
Presse parfois la main d'un mignon favori,
Et ses yeux verts sous les paupières demi-closes
Ont les stagnations d'une eau d'étang pourri.

Et les gladiateurs se cherchent de leur glaive,
Ils fendent l'air, frappent le sable éblouissant,
Leur bras vers l'ennemi chimérique se lève
Jusqu'à ce que les coups fassent jaillir le sang.

Pour mieux voir le combat des aveugles, des hommes
Qui sans croiser leurs yeux vont se percer le cœur,
La foule en s'écrasant et par grappes énormes
Hors des balcons cintrés déborde avec fureur.

Elle pousse des hurlements, elle stimule
Le combat et se pâme à chaque corps à corps,
Et les chrétiens captifs au fond des cunicules
Se pressent en tremblant au souffle de la mort...

On entend le métal qui sonne sur les casques
Et les corps partagés s'écroulent sous les chocs.
Les muscles du héros soudain deviennent flasques,
Un esclave le traîne au loin avec un croc.

Il meurt tout seul dans l'ombre au cri des populaces,
Etouffé par la nuit dans le cirque vermeil.

Nul ne saura jamais ce que ses mains embrassent,
Son immense désir de revoir le soleil.

Mais le dernier vainqueur tient la dernière gorge.
Le glaive est suspendu sur le gladiateur.
Les deux thorax en feu brûlent comme des forges
Et le casque sans yeux questionne l'empereur.

Alors une folie étrange prend la foule,
Un beuglement de mort jaillit sinistrement.
Son cercle immense ondule, elle tourne, elle roule...
Des millions de fous dansent en écumant.

«Il faut crever encor cette poitrine humaine,
Jamais assez de sang ne repaîtra nos yeux!»
Une onde d'hystérie emplit la plèbe obscène,
On voit les Augustans s'égratigner entre eux...

Une femme va s'écraser contre la piste...
Une autre en gémissant mâche et mord son miroir...
Une vierge arrachant sa tunique améthyste
Se donne dans un coin à des esclaves noirs...

L'empereur accoudé près des porteurs de lyres
Incline entre ses mains peintes son front frisé,
Il ordonne la mort du coin de son sourire,
Du clignement de ses yeux verts décomposés...

Le vainqueur ébloui voit enfin la bataille
Et les vaincus masqués qu'il ne haïssait point
Et portant ses lauriers, soutenant ses entrailles,
Plein d'orgueil, il trébuche et va mourir plus loin...

LES VOLUPTUEUX

Les laquais ont servi les sorbets à la rose
Et les voluptueux ont pris de tendres poses
Pour écouter l'orchestre invisible à travers
Les tentures de soie étrange aux tons de chair.
On voit le parc charmant par les portes vitrées
Et l'air tiède est rempli d'une ambre évaporée
Mêlée artistement aux aromes des fleurs...

Avec son voile vert dépouillant ses pudeurs
La jeune fille au corps parfait s'est mise nue
Pour que les jeunes gens et les femmes venues
Pour la beauté, parmi les bouquets et les ors,
Jouissent par l'esprit des lignes de son corps.
Ils n'ont pas entendu les pas dans les arbustes.
Ils n'ont pas vu surgir les faces et les bustes
Du peuple, des affreux escaladant les murs
Pour profaner le parc où fleurit l'art impur.
La foule est là, obèse, extravagante, énorme...
Et le dégénéré à tête un peu difforme,
Au cou trop long, aux yeux rougis d'avoir trop lu,
Qui sait des joueurs grecs les secrets disparus,
Prend la lyre et, chétif, devant l'horrible horde,
Fait merveilleusement résonner les sept cordes.
Le peuple grimaçant grogne, grince des dents
Et n'ayant pas compris s'éloigne cependant.
Mais les voluptueux à peine une seconde
Dérangés par le bruit qu'a fait la vie immonde,
Se recouchent dans l'épaisseur des coussins d'or,
Savourant les sorbets, les vers et les beaux corps.

LE DERNIER SPASME

Comme ils avaient compris le sens de la comète,
De l'épaisseur de l'air et du trouble des eaux
Les jeunes gens, hantés de luxures secrètes,
Entrèrent en courant dans le parc du château.

Déjà des craquements sortaient du creux des arbres,
Les lévriers pâmés hurlaient sur les gazons...
La chaleur partageait les vasques et les marbres
Et la mort répandait sa forte exhalaison...

Ils sautèrent soudain sur les trois jeunes filles,
Ils les prirent contre eux avec de fortes mains
Et foulant le parterre et franchissant la grille
Bondirent à cheval en les tenant aux reins.

L'horreur embellissait les trois nobles visages,
La lutte dessinait la ligne des corps purs.

Sur les portes, des gens criaient à leur passage...
Mais déjà des éclairs zébraient d'or les azurs...

La cavalcade alla jusqu'aux forêts prochaines.
Là, les déshabillant, leur broyant les genoux,
Les hommes en fureur sous les ombres des chênes
Prirent les trois enfants aux corps minces et doux.

Car ils ne voulaient pas entrer dans le silence
Sans percer de leur cri de plaisir les cieux lourds.
Ils désiraient connaître en mourant la puissance
De la vie, éclater de jeunesse et d'amour.

Mais déjà les oiseaux tombaient comme des pierres,
Les chevaux étaient morts debout, tous les tocsins
Hurlaient dans la soirée aux verdâtres lumières...
Eux, pensaient seulement à la forme des seins...

Ils apprenaient le rythme essentiel du monde.
Le plaisir à présent devenait mutuel
Et la terre en cassant ses vertèbres profondes
Leur donnait un nouvel aliment sexuel.

Les jeunes filles par l'étreinte ravagées
Gémissaient et serraient les hommes sur leurs flancs.
Les dents marquaient les cous et les lèvres mangées
Entre elles se buvaient intarissablement.

La mer se souleva, les montagnes flambèrent
Le ventre de la terre eut des bruits de canon...
Sortis des profondeurs des monstres émergèrent
Les peuples affolés devinrent des charbons...

De hauts vaisseaux lancés par des ras de marée
Allèrent s'enfoncer au milieu des labours...
Le fleuve fou roula sur la ville égarée...
Les amants demeuraient l'un sur l'autre toujours...

La lune se fendit dans le ciel de désastre...
Des geysers de feu par milliers jaillissaient...
Mais sous la lave en flamme et sous les morceaux d'astre,
Les amants enlacés toujours se possédaient...

Et plus haut que le jet des volcans gigantesques,
Dans le chaos et les éthers carbonisés,
Arrêtant les soleils dans leur folle arabesque
Monta le dernier spasme et le dernier baiser...

LA MESSE DE L'ANE A CORNES

L'âne à cornes se peint, se maquille avec soin.
Ses mignons près de lui se tiennent les pieds joints,
Prêts à lui présenter un corps qu'il aime à mordre.
Ses femmes sont sur des divans, guettant ses ordres.
Mais quand il a vêtu l'étole de brocart
Et la mitre, il les quitte en faisant des écarts,
Il sort de son palais et s'en va vers les bouges.
Il cogne les judas avec sa patte rouge
Et pelée, et fait voir son mufle monstrueux.
A son cri, le rebut de tous les mauvais lieux,
Les matrones, les procureurs et les ribaudes
Viennent vers lui, dansant de joie, chantant des laudes,
Et l'un porte un ciboire et l'autre un ostensoir,
L'autre lève en riant deux cierges dans le soir.
Alors, sur un autel formé d'un dos de femme,
Des nains chauves servant d'enfants de chœur infâmes,
Et sous la cathédrale immense du ciel bas,
L'âne bénit, étend son étole grenat
Et semble célébrer une messe grotesque.
Et quand avec sa patte il trace une arabesque,
Frappant la femme-autel du sabot à grands coups,
Le peuple agenouillé roule sur les cailloux
Parmi les détritus et les choses impures.
L'un étreint le ruisseau, l'autre baise l'ordure,
Un autre mord au cierge et mange avidement,
Et tous, les yeux soudain grandis stupidement,
T'adorent dans la nuit de plus en plus profonde,
Ane à cornes galeux qui règnes sur le monde!...

LES RENCONTRES DANS LE PORT VIEUX

LE LONG DU PORT VIEUX

Le long du port vieux on fait des rencontres,
Un bateau pourrit auprès d'un fanal.
Près du parapet, un noyé se montre,
Et dans la ruelle, au bord du canal
La misère est là comme un vaste étal.

Le long du port vieux on voit des fenêtres
Qui semblent pleurer les morts qu'on aimait.
Le long du port vieux on croise des êtres
Comme nulle part on n'en vit jamais,
Et les uns sont bons, les autres mauvais.

Le long du port vieux, l'on boit et l'on chante,
Et la chair est faible et le lit affreux.
Là, des égarés et des repentantes
Parfois voudraient fuir le long du port vieux.
Mais le couteau luit, la vie est méchante.

Est-ce ici, seigneur, que trinquent des frères?
Pourrais-je m'asseoir, je viens de si loin!
Et m'aimera-t-on, j'en ai tant besoin!
A tous les carreaux meurent les lumières.
C'est un peu plus loin... C'est toujours plus loin...

Le long du port vieux, la boue est fétide.
Parmi les filets je fais des détours,
Heurtant des anneaux, des barriques vides,
Sans trouver jamais une ombre d'amour,
Le long du port vieux, je marche toujours.

Le long du port vieux, que de formes bougent,
Que de chants d'ivrogne et de cris de faim!
Le long du port vieux où je vais en vain
Avec ton seuil noir et tes carreaux rouges,
Maison de pitié, te verrai-je enfin?

L'ENFANT MORT

Auprès du lupanar repose un enfant mort.
En peignoir rose, en peignoir mauve, dans la rue
Avec des cris elles sont toutes accourues.
Le gros numéro tremble au vent qui vient du port...

L'être est dans le ruisseau sous des linges immondes,
Il a les yeux vitreux, il est jaune et gonflé.
L'absence de pitié, la tristesse du monde,
Monte sinistrement du port ensorcelé.

La nuit est lourde et chaude ainsi qu'une fournaise...
Les femmes crient et la patronne s'avançant,
Avec son ventre énorme et sa face mauvaise
Prend l'enfant et lui dit «petit» en le berçant.

Et lorsqu'elle baisa sur le front l'être jaune,
Son visage carré de marchande de chair
Devint plus beau que le visage des madones
Et la lune en montant lui fit un nimbe clair.

L'épicière du coin apporta quatre cierges,
Les quatre adieux du mal et de la pauvreté.
Les filles de maison pareilles à des vierges
Levaient ces feux sur les ordures des cités.

Pierreuses et voyous formèrent un cortège,
Car l'enfant du ruisseau était bien de leur sang.
Un marin ivre ainsi qu'un prêtre sacrilège
Promenait sur ce peuple un ostensoir absent.

Ils allèrent ainsi, méditant dans leur âme
Et ceux qu'ils rencontraient, suivaient, ayant compris.
Et près de l'enfant mort les pitiés porte-flamme
Par les peignoirs ouverts montraient leurs seins flétris...

Les bouges, gorges d'ombres, exhalaient leurs haleines,
Le peuple sentait mieux le malheur éternel.
Au loin se dessinaient comme des bras de haine,
Des mâtures de rêve au fantastique ciel.

Ils allèrent ainsi de ruelle en ruelle,
Vers le bassin qui sert de dépotoir au port,

Où se déversent les égouts où s'amoncellent
Les coques pourrissant auprès des pontons morts.

Il semblait que c'était la faute originelle
Qui courbait tous les dos en arc de désespoir
Et la patronne alors de ses mains solennelles
Leva l'enfant et le jeta dans le flot noir.

«Seigneur, accueille au fond des clémentes ordures,
Loin du soleil injuste et des hommes mauvais,
Dans cette tombe affreuse et pour nous la plus pure
Ce pauvre paria, pour qu'il dorme à jamais.

«Et puisque tu n'as pu lui donner en partage
Que le coin de la rue et le lit du ruisseau,
Qu'au moins notre pitié plus profonde et plus sage
Le couche malgré toi dans le meilleur berceau.»

L'ARBRE DE CHAIR

Je suis l'arbre de chair qui pourrit dans la nuit,
Je cache des poisons dans le suc de mes fruits
Et sous le rougeoiment de feu des soirs de paie,
Comme une bête en rut l'homme boit à mes plaies.
Il ne me parle pas, il n'a pas de pitié,
Il déchire mes draps des clous de ses souliers,
Il se vautre à loisir, il me possède, il crie
Et retourne aussitôt à l'ombre de sa vie.
Ainsi que les forçats je porte un numéro.
Le malheur dans mon lit comme dans un terreau
Malsain s'épanouit sur ceux qui me besognent,
Sur des sommeils de pauvre et des réveils d'ivrogne.
Mes amours sont toujours précédés d'un débat
Sur le prix, pour adieux je reçois des crachats.
Je vois se refléter dans ma glace ternie
L'image de l'horreur et de l'ignominie
Et pourtant comme un mort dressé hors du cercueil,
Je me tiens droite sur ma porte avec orgueil.
Si, de ses bons travaux il faut faire la somme,
Mon apport vaudra bien celui des autres hommes.
J'offrirai comme un feu d'amour, comme une fleur,
Mon sexe fatigué d'innombrables labeurs.

Parmi les êtres purs j'élèverai ma face,
Où l'alcool et la maladie ont mis leurs traces,
Mon front chauve où l'on voit le crâne blanchissant
Sous la peau et branlant ma mâchoire sans dents
Je montrerai mon mal, ses trous, ses boursouflures,
Disant: je l'ai transmis à mille créatures!
S'il est un châtiment, je l'ai connu déjà.
Et s'il est un pardon, qui me le donnera?

L'ORGIE PAUVRE

Le garni fastueux se farde et se parfume
Comme une courtisane avide de plaisir.
Par les pores fanés des vieux rideaux il hume
L'odeur des corps humains d'où montent les désirs.

Il s'étale sous le crépuscule des lampes
Qui pare ses fauteuils d'une vague splendeur.
Dans le miroir malade aux reflets faussés rampe
L'encens qu'on a brûlé dans une assiette à fleurs.

La descente de lit est toute parsemée
De bouquets bon marché effeuillés avec soin.
Des coussins d'orient et des robes lamées,
D'un clinquant de bazar animent chaque coin.

La tête renversée, une jambe pendante,
Une femme se pâme hors des draps rejetés,
Une autre la caresse et de sa main tremblante
Peuple ce ciel de chair d'éclairs de volupté.

Une autre, fauve et lourde, en gémissant s'affale,
Se crucifie et meurt sur le divan crevé.
Plus loin, les yeux brillants et la face animale,
L'homme est comme un forçat à son spasme rivé.

Le champagne et l'éther coulent et se mélangent.
Près d'une tache d'huile un genou trop épais
Prend dans le demi-jour une importance étrange,
Le tapis est usé, les sièges contrefaits...

Mais soudain, au milieu de ces caricatures
De la magnificence absente de l'amour,
Un souffle délicat descend des moisissures
Du plafond, sort des trous des draps et des velours.

Et malgré l'espoir vain, la détresse profonde,
Malgré l'odeur humaine et les relents du mal,
Un frisson de beauté circule une seconde
Dans ce rez-de-chaussée où vomit l'idéal...

JE VOUDRAIS BIEN ENTRER...

Je voudrais bien entrer dans cette maison-là...
Je vois le corridor baigné d'un vague éclat...
Mais tu me prends la main en disant: Pas encore!
Ta robe en tissu de chagrin se décolore
Et la rue est si longue et mon cœur a si mal.
Arrêtons-nous. J'entends comme le bruit d'un bal
Étouffé... Mais tu dis: Plus loin! Pas cette danse
Ni ces danseurs plaintifs qui tournent en silence...
—J'ai tellement besoin de rêver quelque part
Au jeune adieu qui pleure auprès du vieux départ.
Il pleut et ta figure est tellement voilée!...
La bonne porte luit au fond de cette allée...
Tu vois, on m'a fait signe... Et tu dis: Pas encor!
—Je serre contre moi le lis noir du remords...
On voit les flaques d'eau étinceler par terre...
Ah! que les bonheurs morts renferment de mystère!

LA JEUNE FILLE AU LUPANAR

Au judas, apparaît un visage de plâtre.
Devant la maison louche, aux clartés du fanal,
Luisent les diamants et les bagues bleuâtres
De la femme mi-nue en sa robe de bal.

Un coin de son hermine est pendant dans la boue.
La ruelle s'éclaire et fait ressortir mieux
Le blé de ses cheveux, la rose de sa joue,
L'ivoire de ses seins, le métal de ses yeux.

L'ivresse du plaisir tend comme un arc sa forme.
Elle rit en faisant claquer ses jeunes dents.
Ses perles effleurant une matrone énorme
Éblouissent le seuil de leur luxe impudent...

Elle embrase en passant le corridor sinistre
De la flamme en satin qui double son manteau.
Sa prunelle aux tons mats que ne cercle aucun bistre
Écorche les miroirs comme un feu de couteau.

Le troupeau, comme une eau malade se déverse
Dans le salon, timide, hébété, paresseux...
Elle, dans les sofas se pâme et se renverse,
Montrant sa jambe fine et son torse nerveux.

L'aspect des corps lassés attise sa luxure,
Elle écrase les seins tombant entre ses doigts,
Se moque insolemment des pauvres chevelures,
De la rape des peaux et du graillon des voix.

Elle les fait danser, se coucher sur son ordre,
Ainsi qu'une dompteuse exquise aux yeux d'acier,
Domptant des animaux qui voudraient bien la mordre,
Mais courbent leur échine et lui lèchent les pieds.

Le piano faussé résonne et le vin coule...
Parfois elle égratigne avec son ongle peint
Le dos vaincu d'une des femmes qui s'écroule,
Ou la cingle du coup de fouet de son dédain.

Sous l'électricité les visages se creusent.
L'alcool est plus puissant, les tapis plus profonds,
Un halo de splendeur baigne la visiteuse,
L'envie et le malheur descendent du plafond...

Et soudain, sans un mot, tout le bétail se dresse
Avec un goût de sang, des regards d'assassin.
Elles se penchent, haletantes de l'ivresse
De broyer à la fois ses bijoux et ses seins.

Elles voudraient casser cette main frêle et rude,
Crever cette peau fine avec ses diamants,

Ce corps trop ferme insulte à leur décrépitude,
Et vaincre ce cynisme orgueilleux de vingt ans...

Or, debout, l'autre s'est campée au milieu d'elles
Et se grise du voisinage de la mort,
L'air de crime la fait plus perverse et plus belle,
Hors la robe, elle tend exprès son jeune corps.

Et le couteau pâlit devant l'éclair bleuâtre
Des bijoux, toutes les tigresses en fureur
Ne sont plus qu'un troupeau de chiennes qu'il faut battre,
Pour leur air malheureux de femelles en pleurs...

Mais la petite reine, avec une allumette
Qu'elle frotte sur son soulier de satin blanc,
Rallume alors indolemment sa cigarette
Pour leur souffler au nez sa fumée en riant...

LE SECRET PERDU

Une maison quelconque en un quartier perdu...
Le long couloir muet... L'escalier vermoulu,
Puis un palier, un rais de lumière, une porte...
Une servante avec un visage de morte
Me conduit. Des tapis où des êtres humains
Sont couchés au milieu de l'ombre et des coussins.
Les visages épais ont des regards sans flamme.
On distingue des seins et des bustes de femme
Et la fumée est lourde et je demeure là
Sous le miroir sans fin qui reflète un Bouddha
Et les peines du soir à mes côtés s'endorment.
Alors, un long visage clair, parmi les formes
Apparaît, il sourit, il se penche sur moi,
Sur ses lèvres se pose un minuscule doigt,
Qui fait chut! j'entends mal des choses à voix basse,
Je sens qu'un beau secret dans l'atmosphère passe...
Mais soudain un peignoir fait en se déplaçant
Un grand cercle couleur d'émeraude et de sang,
Comme un jet de cristal en flamme un rire fuse,
Les contours sont moins nets, les formes plus confuses
Et le visage au clair ovale disparaît...

Jamais je ne saurai quel était le secret.

LES DIEUX SUR LES QUAIS

Le jeune Grec sauta de la barque, léger.
Le vent du port souffla dans sa tunique orange,
Ses cheveux blonds étaient sur le front partagés,
Il avait des yeux verts d'une lumière étrange.

La jeune fille au corps couleur de bronze éteint
Le suivit et durant qu'il attachait l'amarre,
Sur son cou long et pur et dans ses cheveux fins
Elle ajusta ses bijoux bleus et sa tiare.

Les bouges clignotaient le long des quais déserts.
La lune sur le golfe endormait la nuit rose.
Ils dégageaient l'odeur des fleurs et de la mer.
Lui portait un miroir d'argent, elle une rose.

Quand sur le seuil fumeux ils se tinrent debout,
On cessa de cogner les tables et les verres.
Il fit de la beauté d'un mouvement de cou,
Elle versa l'amour en baissant les paupières.

«Qui donc es-tu, forme d'Éros au buste étroit?
Dans quel temple es-tu née, Aphrodite d'Asie?
Nul n'avait jamais vu tes seins sombres et droits...
Et l'âme devant toi, jeune homme, s'extasie...

«Jusqu'ici les vaisseaux venus de l'Orient
Ne rapportaient ici que des Arabes hâves,
Des juives en haillons avec des yeux brillants,
Les rebuts des harems et des marchés d'esclaves...

«Quels sont ces talismans autour de vos poignets,
Ces étranges bijoux et ces pierres coniques?
Pourquoi ces ongles peints et ces longs doigts soignés?
De quel tissu tressé sont faites vos tuniques?»

Un marin attirait la jeune fille à lui
Et ses doigts noirs de vin lui maculaient l'épaule.

Vers la bouche du Grec ainsi que vers un fruit
Se penchaient goulûment Carmen et la Créole.

L'accordéon boiteux se remit à bercer
Le rougeâtre minuit de sa musique fausse,
Les ivrognes recommencèrent à crier
Et l'alcool ralluma le bleu des yeux féroces.

Un obscène danseur au visage épilé
Qui pour rire agitait une grande mâchoire
Et qui tournait parmi les buveurs attablés
Saisit d'un bras velu le jeune homme d'ivoire.

La femme aux seins géants, jalouse, se dressa
Et la maigre en hurlant lui lança la bouteille,
Un couteau luit. Un air de bagarre passa
Sur les cols bleus et blancs et les trognes vermeilles.

Le Grec dans une odeur de rut et de sueur
Se sentit pris par sa chevelure frisée.
Et les hommes changés en bêtes en fureur,
Par terre écartelaient la vierge à peau bronzée.

On se les partagea comme un butin charnel,
Comme un trésor qu'on pille après une bataille.
Le bouge où se mêlaient marins et criminels
Vit une sexuelle et splendide ripaille.

Puis, comme la laideur et le mal sont puissants,
Les deux êtres parfaits sourirent dans l'orgie,
Le plaisir et le vin remuèrent leurs sens,
De la nuit animale ils surent la magie.

Lui rendait à présent l'étreinte et le baiser.
Elle s'offrait pâmée, impudique aux lumières...
Ils tendaient le désir de leurs bras épuisés.
Leur visage bouffit, leurs traits se déformèrent.

Quand l'aurore parut sur les pavés glissants
Vidant dans un hoquet le port et sa racaille.
L'Aphrodite à peau mate et l'Éros vomissant
Titubaient dans la boue et cognaient les murailles.

C'est depuis lors qu'on voit dans la tourbe des quais
Au milieu des calfats et des marchands d'oranges
Errer à demi nus, provocants, efflanqués,
Exsangues et lascifs les voyageurs étranges.

Ils rient stupidement, mais parfois le soleil
Dans le miroir cassé qu'ils regardent encore
Dessine indulgemment un beau pays vermeil
Et le fantôme d'or d'un temple callichore.

LA TREIZIÈME ANNÉE

Un soir, j'ai rencontré la treizième année
Avec ses yeux trop peints de fillette damnée
Et sa robe trop courte et ses bas bien tendus...
L'ange bas et flétri des plaisirs défendus
Aguichait à présent les passants sur la place
Où jadis, dans le temps de sa précoce grâce,
Elle essayait sur moi ses lèvres et ses mains,
Le long du mur, au pied du bec de gaz éteint.
—Viens-tu? dit-elle en se cambrant et sur son torse
De fausse enfant tombaient ses seins lourds dans leur force.
—Nous avons trop vieilli. Tes mains ont des bijoux
Et mes cheveux sont gris...—Tu me plais malgré tout.
—La police pourrait passer. Petite fille
De quarante ans, je vois quelqu'un à cette grille
Qui regarde.—Il s'éloigne et l'endroit est désert.
—Je ne reconnais plus le mur. Il fait trop clair.
C'est l'ombre qui jadis te faisait jeune et belle...
—Le vent souffla le bec de gaz...—Tu vois, dit-elle...

LA COMPLAINTE DE L'HOPITAL

Le vieil hôpital est en briques rouges,
Palais de la mort avec quatre tours
Il a sur la porte un fanal qui bouge,
Le fleuve le baigne et serpente autour.
Auprès sont les bas quartiers et les bouges.
Le peuple, le soir, cherche ses amours
Près de l'hôpital fait de briques rouges.

Le vieil hôpital est rempli d'humains
Marqués par le mal et par la misère.
Dans les lits étroits ils tordent leurs reins.
Là sont les perdus et les solitaires,
L'homme sans amis et l'homme sans mère.
Grimaçants, gelés et levant les mains,
Le vieil hôpital est rempli d'humains.

On entend le vent à travers les salles,
Il fait des récits dans les corridors
Et chaque visage est un peu plus pâle,
Quand il dit par où, pieds devant, l'on sort,
Qu'avec sa bougie et son linceul sale,
La petite chambre où l'on met le mort
Est à droite, au fond, dans le corridor.

Que les yeux sont grands dans les faces blêmes!
Dans les maigres corps que de cœurs fervents!
Combien ont offert aux êtres qu'ils aiment
L'élan éperdu de moignons en sang!
Que de cris d'appel vers des Christ absents!
Quelle écume d'âme et que de blasphèmes!
Que les yeux sont beaux dans les faces blêmes!

O vieil hôpital dont les murs encerclent
Le mélancolique et l'affreux troupeau,
Marmite enfermant avec ton couvercle
Les membres, les os, les nerfs et les peaux,
Gîte de douleur, enfer aux cent cercles
Dont les torturés n'ont pas de repos,
O vieil hôpital, voici le troupeau,
Voici l'éclopé qui penche et se traîne,
Voici le manchot, voici le boiteux,
Ceux qui n'auront plus jamais avec eux
Le bonheur d'avoir une forme humaine,
L'homme sans mâchoire et l'homme sans yeux,
La jambe fendue et le cœur boiteux,
Corps mangé de plaie et pauvre âme en peine...

Fais-leur bon accueil, ô vieil hôpital!
Incline tes tours, ouvre-leur ton porche!
Pour leur tenir chaud, éclairer leur mal,
Allume ta brique ainsi qu'une torche!

Ouvre comme un ciel ton dôme ogival!
Pour ceux qu'on déchire et ceux qu'on écorche,
Un peu de pitié, ô vieil hôpital!

LE VOILE FROISSÉ

Voilà ce que je vis au fond du quartier vieux...
La jeune fille en deuil s'avançait au milieu
Des sordides bazars et des marchands d'oranges.
Le soir resplendissait dans les loques étranges,
Les haillons bigarrés aux fenêtres pendus.
Sa robe frémissait comme un songe perdu
Parmi le peuple affreux grouillant dans la ruelle.
Elle m'apparaissait tendre, rêveuse et frêle
Et je souffrais sentant combien les bruits, l'odeur,
Les visages devaient déchirer sa pudeur.
Je vis un torse épais, une chemise rouge...
Des voix d'homme sortaient du demi-jour d'un bouge
Et deux yeux d'assassin guettaient dans un couloir...
Et là, vint s'engouffrer soudain le voile noir
Le visage pudique et pur sous la voilette.
La nuit appesantit ses ombres violettes
Sur les fruits, les ruisseaux, les bars du quartier vieux.
Je voyais une lampe à des volets lépreux...
Plus tard on l'éteignit... Un pas léger dans l'ombre...
Le sang du bec de gaz... Pâle en sa robe sombre,
Elle passe et je vois que le voile est froissé,
Je comprends que des mains dans sa jupe ont passé,
On a mordu son cou, sa bouche a des empreintes,
Je sens qu'elle a tremblé sous une forte étreinte...
Elle va, les yeux clos, pudiquement, sans voir
Et deux yeux d'assassin la suivent du couloir...

LE CAFÉ-CONCERT MAUDIT

C'est au fond du faubourg, après les cheminées...
Le chemin de charbon mène au café-concert...
Les maisons sont autour lépreuses, lézardées
Et les enfants qu'on voit sont rongés d'un mal vert.

Et là, pour le plaisir de l'alcool et des femmes
Viennent les matelots halés par les saisons,
Les chauffeurs qui se sont roussis auprès des flammes
Dans les soutes, les déchargeurs de cargaisons.

Et là, viennent les trafiquants de chair humaine,
Le troupeau paria des quais et des chalands,
L'arabe d'un gris sale et le nègre d'ébène,
Déchets d'orientaux pourris par l'occident.

Sur la porte flamboie une lanterne rouge.
Le ruisseau semble autour charrier des typhus.
C'est un bouge d'enfer maudit entre les bouges,
C'est le café-concert dont on ne revient plus.

Car la mauresque juive a des seins magnifiques
Qui pendent pesamment sur son corps glorieux,
Et sa danse du ventre est grotesque et lubrique
Et la faim de sa chair vous coule par les yeux.

Car le clown en gants blancs, en chapeau haut de forme
Grimace en imitant le hibou et le chat,
Si drôlement qu'on est saisi d'un rire énorme
Dont on roule par terre au milieu des crachats.

Dans les verres le vin rougeoie et le punch flambe.
L'air est opaque et sent le tabac et la chair
Et les filles montrent leurs gorges et leurs jambes
Dans des tangos coupés de coups de revolver.

Et le plaisir est tel de danser, d'être ivrogne,
De toucher des corps mous en beuglant des refrains,
De sentir la sueur des torses et des trognes,
Qu'on ne ressort jamais de cet enfer divin.

Pendant l'éternité durera cette fête.
On voit, en regardant de près, sous les gants blancs
Du clown, bouger les os de sa main de squelette,
Il a l'orbite vide et le crâne branlant.

Ces accroche-cœur bruns sont collés sur des tempes
Dont la peau est séchée et tombe par endroits.

Et la juive qui danse aux clartés de la lampe
Tourne son ventre ainsi qu'un astre mort et froid.

L'opulente Carmen a des tibias maigres
Pour supporter un corps qui va se dissolvant,
Et la rouquine étreint un long spectre de nègre
Et dans leur rire on voit se déchausser leurs dents.

Le matin charbonneux sur des quais de halage
Apparaît à travers des formes de vaisseaux...
Et les hommes dans le quartier des débardages,
Avec le dos courbé cheminent en troupeau...

Le bouge au loin frémit et danse dans la pluie...
Et titubant, un matelot, sous le fanal,
Regarde au ciel passer la brume avec la suie...
—O soleils qui montaient sur l'océan austral!...

LA TRESSE COUPÉE

Sur le seuil d'or du magasin d'antiquités
L'enfant se fait coiffer par l'ancienne beauté.
La marchande aux yeux peints admire, palpe et flatte
L'éblouissante peau, les lèvres écarlates
Et la tresse qui tomberait jusqu'aux talons
Si ses doigts secs ne la tordaient sur le cou blond.
Quelquefois le miroir ornant la devanture
Lui montre son visage avec des bouffissures,
Ses lèvres retombant, son teint parcheminé...
Le parfum de la mort sort des meubles fanés.
L'enfant que le soleil de la rue illumine
Suit des oiseaux en cage aux boutiques voisines...
Mais soudain au moment de nouer les cheveux,
La femme, la poussant parmi les objets vieux
Du magasin, les oripeaux, les ors des frusques,
Tranche avec ses ciseaux la natte d'un coup brusque,
La suspend à son cou comme un souple serpent
Et danse, geai flétri, sous ces plumes de paon
Pendant que les ciseaux font un bruit métallique
Et que de tous côtés, sur le seuil des boutiques,
Des commères tapent leur ventre en s'esclaffant

De voir le beau visage abîmé de l'enfant.

LA FOIRE FOLLE

La foire flamboyait sur le boulevard ivre
Au chant criard de milliers de mirlitons.
Je m'avançais parmi les baraques, les cuivres,
Dans le rayonnement des cibles de cartons.

Et je passai près des mangeurs de sucre d'orge.
Un torrent de guimauve entre leurs bras coulait,
Les sucres colorés ruisselaient sur les gorges,
Ils étaient gras avec des yeux couleur de lait.

Ils aspiraient avec des lèvres sirupeuses
Comme avec une pompe et sans avidité.
La tristesse sans fin de l'innocence heureuse
Planait sur ces corps mous et ces cœurs hébétés.

Et je vis le jeu de massacre. Les poupées
Étaient humaines et vivaient en grimaçant
Par les balles de son elles étaient frappées,
On les voyait danser, souffrir, cracher le sang.

Et je vis les lutteurs faisant saillir leurs formes
Et qui se pavanaient sous de roses maillots
Et des femmes auprès de ces amants énormes
Se disputaient avec d'hystériques sanglots.

Une clownesse ayant trop de carmin aux joues
Tourbillonnait avec un bouquet de papier.
Et soudain imitait un paon faisant la roue
Avec sa robe d'or aux volants déployés.

Et je vis le dompteur dans la ménagerie:
Il avait délivré le tigre et le lion,
Mais tous semblaient ce soir atteints de léthargie
Et dormaient près de lui, fraternels compagnons.

Les perroquets prenaient de bizarres postures
Pour lisser leur col vert et leur corps bleuissant

Et le singe malade, avec des couvertures
Près du boa, s'emmaillotait en gémissant.

Et les chevaux de bois roulaient en cavalcades
Fantastiques au ciel du plafond plein de trous.
L'on voyait alterner comme dans les ballades
L'amazone fantôme et le cavalier fou.

Vers la belle Fatma dont la robe défaite
S'entr'ouvrait sur des seins fabuleux, accouraient
Le prince Mignapouf et le veau à trois têtes
Et pour la posséder ils s'entre-déchiraient.

Les ruelles crachaient les voleurs et les filles
Et les couples gâtés d'interlopes amants.
Et le phoque géant et la femme torpille
Se mêlaient en un monstrueux accouplement.

Et dans l'ombre tombant de l'éléphant du cirque
Comme si, là, la foire avait mis son secret,
La petite danseuse et le nain anémique
Dessinaient en dansant un fragile ballet.

Mais je fus ébloui du cerceau des gugusses
Et du vol clair des écuyers surnaturels...
Et je fus projeté par les montagnes russes
A travers le feu d'artifice jusqu'au ciel.

LES NOCTURNES

L'esprit bleu de la nuit s'élève des pavés...
Ils marchent sans savoir ce qu'ils pourront trouver
Dans les longs corridors déserts que sont les rues.
Cœurs tristes des maisons, fenêtres disparues!...
Un volet claque, un bar clignote, un fiacre meurt...
Chacun un peu plus loin veut porter sa douleur...

Ils croisent des soupeurs attardés, des ivrognes,
Des ouvriers allant vers d'obscures besognes
Et les sergents de ville avec leur capuchon.
Les gardiens de travaux lèvent leur lumignon,

La pierreuse au front bas leur parle de sa chambre
Et pour les décider leur découvre ses jambes.

Le brouillard pénétrant humecte leurs habits,
Un chaland mort repose au long du quai maudit...
De son clapotement le fleuve les appelle...
L'ombre de cette nuit leur paraît éternelle...

Rentrer chez soi tout seul! Tout vaut mieux que le mal
De l'allumette avec son éclair sépulcral
Dans l'escalier, que tous ces seuils inexorables,
Que l'appartement froid, la lampe sur la table,
Le livre ouvert, le lit, ce berceau des remords,
Et le morne sommeil, frère obscur de la mort.

VIOL DE FILLE

Après le dernier bar, au haut de la montée
S'ouvre sa chambre et de la rue on voit le lit.
C'est une fille magnifique et réputée
Qui vend à bon marché la luxure et l'oubli.

Les juifs des bas quartiers, les hommes de la troupe,
Les arabes, les assassins aux yeux bridés.
Les jeunes marsouins qui sautent des chaloupes
Sur les quais bleus, tous sont venus la posséder.

Un seul est à jamais exclu du lit célèbre,
Un marin aux yeux bleus de la race du Nord,
Qui brûle de désir jusque dans ses vertèbres
Pour la chair mate avec des reflets noir et or.

Pour lui, toutes les nuits, la misérable porte
Est fermée. Et collé sur le bois il entend
La femme qui se pâme exprès, de telle sorte
Que ses hoquets d'amour lui déchirent les sens.

Il guette la ruelle et voit ses camarades,
Assouvis, vacillant sur le seuil. Il les suit
Vers la brume du port où rêvent les escadres,
Retrouvant sur leurs pas les relents de leur nuit.

Viens ce soir, dit-elle une fois. Et des ivrognes
Le croisent. Son lit creux garde encor leur chaleur...
Ah! qu'importe! Elle rit dévêtue. Il l'empoigne,
Il tient la femme, il en respire la sueur.

Mais sans raison, elle résiste, opiniâtre.
Ils luttent. C'est pour elle un sauvage plaisir
De ne pas se donner mi-nue et de se battre.
Lui, près du beau corps brun sent monter son désir.

Ils s'acharnent parmi les bouteilles brisées
Où l'ardeur s'exaspère avec férocité.
Parfois comme une enfant elle gémit, blessée.
Elle cogne parfois sur le mâle excité.

Ils roulent dans le vin, se tordent sur les briques,
La mêlée à tous deux donne un besoin d'amour.
Elle claque des dents, rit d'un rire hystérique,
Ses jambes se serrant se refusent toujours.

Elle est lasse, étendue, et pourtant invincible.
Elle le brave encor. Le jour luit aux carreaux...
Qu'elle est belle, allongée... Il se dresse, terrible...
Dans le ventre imprenable il plante son couteau.

Un clairon matinal sonne dans les casernes.
Le sang sort du corps brun avec un bruit égal.
Ah! les pays perdus où les matins sont ternes!
Comme la mer du sud bleuit! Comme il a mal!...

LA PETITE DANSEUSE

Le géant était triste auprès du nain malade.
La grosse caisse et les cymbales expiraient
Et s'accoudant sur le carton des balustrades,
La petite danseuse au loin me regardait.

Sous la robe à paillette et le manteau de flamme
Je sentais qu'elle avait très froid au vent du soir,
Froid à sa chair d'enfant et froid peut-être à l'âme...
La foire finissait dans un grand désespoir.

Elle me regardait avec des yeux si tendres!
Une onde d'amitié vous baigne quelquefois,
On en a le cœur gros et l'on ne peut comprendre
La foule morne s'écoulait autour de moi
Alors parmi la mort de la foule muette,
Pour l'ami inconnu ainsi qu'un signe obscur,
La danseuse soudain fit quelques pirouettes
Et le geste d'offrir au ciel son corps très pur.

Mais je ne compris pas la parole subtile.
Cette mystérieuse offrande au sens profond...
L'homme ferme son âme en vivant dans les villes...
Et je partis avec les derniers lumignons...

Et c'est pourquoi, les jours de l'an, les jours de Pâques,
Depuis ce temps, je cours les foires au hasard...
Mais je n'ai jamais plus retrouvé la baraque,
La petite danseuse et son tendre regard.

LE CORBILLARD INFATIGABLE

Je vois derrière moi toujours ce corbillard...
J'ai beau fuir à travers le soir couleur de laine,
Au tournant de la rue il surgit du brouillard
Et de maigres chevaux empanachés le traînent.

Je vois les yeux brillants et les traits amaigris
Et les habits tachés des cousins et des frères,
Et je vois le drap noir sous les bouquets flétris,
Traînant sur les pavés sa loque funéraire.

Le cortège se met à courir si je cours.
Il longe l'avenue ou traverse la place.
Je le vois se hâter le long des maisons basses,
Il se tient immobile au coin des carrefours.

L'église... Elle est béante et s'ouvre comme un ventre
D'orgue et d'encens qui va manger le corbillard...
Mais non... Le prêtre, au loin, les panaches, le chantre
Parmi les becs de gaz saignant... Il se fait tard...

Un bal public perdu dans un quartier de suie...
Des danseurs fatigués que bercent des tambours...
Un quatorze juillet attardé dans la pluie
Et malade parmi l'automne des faubourgs...

Je me cache au milieu du peuple qui reflue
Mais vois toujours couler les larmes du drap noir
Et les pauvres parents cheminent tête nue
Et parfois la polka les bouscule au trottoir.

Et l'un d'eux se met à polker! Les feuilles mortes
En groupe d'or dansent autour du corbillard...
Le port s'éteint... Je me tapis contre ma porte...
Le cortège apparaît au fond du boulevard...

J'ai gravi l'escalier et j'allume la lampe.
Ils sont derrière moi, ils montent lentement,
Et j'entends le cercueil qui cogne sur la rampe...
Ils entrent solennels dans mon appartement...

Au parfum délicat des robes suspendues,
Aux tiédeurs des coussins pour l'amour préparés
La mortuaire odeur du bois se substitue
Et le fade relent des vêtements mouillés...

Ils sont tous là... La chambre est à peine assez grande.
J'ai quelques fleurs au fond des vases. Les voici!
Ils tiennent leur chapeau dans la main, ils attendent...
Et leur cercle autour du drap noir s'est rétréci...

Ah! quand repartira ce cortège d'automne?...
Quel est le cimetière où le mort dormira?...
Le prêtre s'est assis et le chantre fredonne
Et quelqu'un dans un coin esquisse une polka...

COMPLAINTEDE L'HOMME QUI S'EST PERDU

Je me suis perdu dans la ville immense.
Chaque réverbère est un peu de sang.
Chaque ruisseau luit comme une espérance
Qui vous tord le cœur en disparaissant,
En tâtant les seuils je vais, gémissant.

A des carrefours je croise des danses.
Je vois l'assassin guetter le passant
Sur un boulevard gelé de silence.
Je me suis perdu dans la ville immense.

Dois-je m'arrêter ou marcher toujours?
Je passe le pont, j'ai peur et je cours.
Le fleuve a crié; c'est mon nom qu'il crie.
Dois-je m'arrêter à l'hôtellerie
Des mauvais vivants qui sont sans amour?
Voici la maison de la rêverie,
Et voici l'église et ses quatre tours...
Les portails sont clos, les portiers sont sourds,
La ville est si vaste et l'espoir si court!...

Où sont les amis et la bonne hôtesse
Et la table mise et les grands fauteuils?
Quelle est la fenêtre et quel est le seuil
Où je puis frapper pour que je confesse
Que j'ai le corps las et le cœur en deuil?
Aux jours de ma joie et de ma jeunesse
J'avais des amis pour me faire accueil,
Pour m'offrir leur vin et leur allégresse...
Où donc les amis, où donc la jeunesse?...

J'entends des volets claquer sur les murs
Et tourner des clefs au fond des serrures...
C'est l'heure où chacun, le pur et l'impur,
Pour la solitude ou pour la luxure
Fait la porte close et la chambre obscure.
Chacun a sur lui son morceau d'azur
Faites-en aumône à la créature!
Que les murs sont hauts, que les cœurs sont durs!
J'entends les volets claquer sur les murs...

Et je suis tout seul dans la grande ville.
L'hôpital se tait, les bouges sont morts...
Un dernier reflet de lampe vacille...
Mon pas fait sonner les pavés hostiles...
La ville à présent est comme un grand corps
Plein de gonflements et de corridors
De pierre et d'airain, desséché, fossile,

Rongé par le temps, marqué par la mort...
Et je suis tout seul dans la grande ville...

Ville sans pitié, ville sans pardon,
Ville des ingrats et ville des lâches!
Je peux appeler, nul ne me répond.
L'un a son sommeil et l'autre sa tâche
Mystère que seul le soleil arrache.
Pour l'homme perdu pas une maison!
Pourtant quelque part le bonheur se cache...
Mais je butte en vain à tous les perrons
Ville sans pitié, ville sans pardon!...

LA CHAMBRE AUX RIDEAUX VIOLETS

SI PETITE EST LA CHAMBRE...

Si petite est la chambre aux rideaux violets!
Un Bouddha y médite avec un bracelet
De jade autour du cou qu'y mit la bien-aimée.
Les tapis sont foncés, les étoffes lamées,
Et quand je vais ouvrir la porte, l'on dirait
Qu'il va s'évaporer le parfum d'un secret.
Si petite est la chambre où sont de si grands rêves!
Dans cet espace étroit des aurores se lèvent
Comme aucun voyageur en quête d'idéal
Ne put en contempler au pays boréal.
Il y descend des soirs si pénétrés d'aromes,
Où les murs ont des fruits et les lampes des baumes,
Des soirs comme jamais n'en ont les équateurs.
La bien-aimée y fait éclore plus de fleurs
Que les plus chauds soleils qui brûlent les tropiques,
Les étoiles d'été ne sont pas plus magiques,
Les lunes sur les lacs n'ont pas plus de reflets
Que la petite chambre aux rideaux violets...

LA SILENCIEUSE

Toutes quatre parlaient et riaient dans la chambre.
Les cheveux dénoués de l'une sentaient l'ambre
Et sa cheville avait un anneau de corail.
Elle tendait vers moi l'aile d'un éventail
Et me disait: «Pourquoi gardez-vous le silence?»
La seconde vibrait d'un souvenir de danse,
Elle se renversait et s'offrait comme un don
Et s'arrêtait pour dire: «A quoi pensez-vous donc?»
La troisième sortait d'une robe lamée,
Et son épaule, ainsi qu'une pêche enflammée,
Surmontait d'un feu bleu la naissance du dos
Et son rire d'enfant jaillissait en jet d'eau.
Puis elle me disait: «Qu'avez-ous?» La dernière,
Sans bouger, de son corps, absorbait la lumière,
Prenait tout le bonheur disponible entre nous.
Elle agitait parfois le rayon d'un bijou
Comme un phare gelé sur une mer sans île.

Elle était près de moi et très loin, immobile,
Son jeune front courbait son beau bras accoudé:
Elle me regardait, mais n'a rien demandé...

QUE LA SOIRÉE EST BELLE...

Que la soirée est belle avec une odeur d'ambre,
Le tabac, les coussins, la chaleur de la chambre,
Devant le Bouddha d'or et le brûle-parfums,
Auprès du souvenir d'un vieil ami défunt!
A mesure que monte en tournant la fumée,
Sa forme est moins lointaine et moins inanimée,
Il fume à mes côtés, il me parle tout bas,
Je pourrais le toucher en étendant les bras.
«La mort n'a ni beauté, me dit-il, ni souffrance.
C'est un état subtil analogue à l'absence
Où l'on voit vaguement de loin les êtres chers.
L'on n'a plus de désir puisqu'on n'a plus de chair,
Et l'on n'a plus d'amour, hélas! n'ayant plus d'âme...
Ami, je viens chercher le reflet de la flamme.
L'ombre de l'amitié, l'image du regret,
Car l'au-delà est sans chagrin et sans secret...»
Alors, nous demeurons tous les deux en silence.
Je sens autour de moi l'amicale présence
Effacer le mystère, écarter les remords...
Que la soirée est belle auprès d'un ami mort!

LE VISAGE ENFANTIN

Le visage enfantin et pervers regardait.
Je voyais l'œil ouvert, la fixité des traits,
Le fin profil tendu sur le long cou flexible
Et l'admiration en elle était sensible
Par le frémissement des ongles et des cils.
L'amour, le tendre amour, cet éther trop subtil,
S'était évaporé au soleil d'un visage.
Le jeune homme était blond et svelte comme un page.
Il mâchait une rose orange entre ses dents
Et parfois crachait un pétale en la mordant.
Il ne pensait à rien, fixait un point et même
Il semblait ignorer les yeux comme deux gemmes

Ardemment allumés près de lui, les chers yeux!
J'étais très loin, j'étais très seul, à côté d'eux.
Aucun mot ne fut dit. Les pétales tombèrent
Un à un. Puis l'amie abaissa ses paupières
Quand s'éloigna l'indifférent aux cheveux d'or.
Ce fut tout. Quelque chose entre nous était mort.

LE VASE IMPARFAIT

Je ne puis m'empêcher de penser à leur corps.
La jambe est-elle longue avec un duvet d'or,
Le ventre a-t-il un pli et le sein est-il ferme?
Quelles sont les beautés que les robes enferment
Et quels sont les plaisirs en puissance, dormant
Sous le zaimph quotidien que sont les vêtements?
Comment, quand on le prend, ce corps doit-il se tordre?
Quelle force ont ces dents sous ces lèvres pour mordre?
Et quel étirement doivent avoir ces bras
Lorsque la volupté s'apaise dans les draps.
Le mystère de chair plus que celui de l'âme
Est profond, douloureux, chargé de sang, de flamme.
On le voit dans les nœuds des mains, les tons bistrés
Des paupières, cet air tendre et désespéré
Qu'ont les fronts féminins pliant sous le silence,
Le souvenir amer et la vaine espérance.
O forme, vase pur dont une anse a toujours
Un défaut, versant l'eau des terrestres amours,
Eternelle statue émanant sous le voile
Une clarté comme n'en donne aucune étoile,
Marbre changeant, fragile et toujours imparfait,
Sans cesse je t'étreins et je ne t'ai jamais.

J'ENTR'OUVRIS DOUCEMENT...

J'entr'ouvris doucement la porte: elle était là,
Parmi la soie éteinte et les ors sans éclat,
Les ivoires jaunis, les fleurs inanimées,
La laque des panneaux, le jade et la fumée.
Elle dormait, un bras replié sous son cou.
Par la robe écartée on voyait son genou
Et l'élan de la jambe longue hors de l'ombre,

Pareille au sureau blanc qui supporte un fruit sombre.
Elle attendait, docile, et s'offrait en dormant.
La lampe basse alors charbonna brusquement
Comme une fleur d'argent qui jette de la suie.
Ses pollens noirs sur nous retombèrent en pluie.
Alors, moi, sur le seuil, je me suis souvenu
De coussins sans couleur sous un corps presque nu,
D'une heure évanouie et d'une chambre morte,
Je me suis souvenu...—j'ai refermé la porte...

L'AMITIÉ ET LE BAISER

Je danse le bonheur, disait-elle, et légère
Sous ses gazes, dans la fumée et la lumière
Elle faisait tourner son buste de cristal.
Je danse tout, l'espoir, les rêves et le mal...
—Dansez les souvenirs... Elle dansa l'enfance,
Le rayon disparu d'un soleil de vacances,
Des passages de jeunes filles dans des parcs.
—Dansez l'adieu d'amour et dansez le départ...
La danse avait alors tant de mélancolie!
—Dites-lui de danser l'amitié, dit l'amie
Qui s'appuyait sur moi peut-être tendrement.
Et la danseuse alors, qui voyait son amant
Sourire au loin dans le miroir, baisa la bouche
D'un baiser qui se pose et frôle sans qu'il touche,
Sur l'image apparue en le verre embué,
Et le dessin en demeura diminué,
Puis s'effaça comme un baiser qui s'évapore.
Et celle qui m'aimait d'amitié dit encore,
Fixant longtemps mes yeux d'un regard sans espoir:
—Oui, l'amitié, c'est un baiser dans un miroir...

TIGRESSE AUX ONGLES PEINTS

Tigresse aux ongles peints des restaurants de nuit,
Mangeuse d'homme, qu'à son tour mange l'ennui,
Bête de proie, ayant au cou trois rangs de perles,
Qui fais pousser des cris lorsque tes reins déferlent,
Sur le festin du lit qui tombe en rugissant
Et qui sait détourner tes babines de sang

Avec un rire plus cruel qu'une morsure,
Je ne crains ni tes yeux de jungle et d'aventure
Où passent des reflets d'eau croupie et d'acier,
Ni ton long corps félin, avide et carnassier,
Ni ta main de velours, je t'ai vaincue, ô bête!
Car j'eus pour te dompter une chaîne secrète,
Une cravache éblouissante et je te fais,
A mon gré, te vautrer parmi les draps défaits.
T'allonger sur le dos, te pâmer et te tordre,
Ou remettre ta robe et tes bas sur mon ordre,
En te cinglant de mon dégoût, de ma rancœur
Et du néant d'amour qui me remplit le cœur.

LE COLLIER DE TURQUOISES

Elle vint à minuit, chaude, décolletée,
Par les parfums, les vins et l'orchestre excitée,
Et des odeurs de bal traînant dans ses cheveux.
Elle enchanta l'appartement silencieux,
Elle fuma, sauta dans les grands divans vides
Et puis se dévêtit, languissante et splendide,
Riant impudemment d'un rire provocant.
Elle donnait le goût de mordre en la vainquant.
Elle n'avait gardé qu'un collier de turquoises
Mais demeura, sans que ses beaux bras se décroisent
Sur ses seins durs, avec un brin de mimosa
Dans sa bouche et pour s'amuser se refusa.
Les abat-jour de soie avaient des ombres vertes
Et j'allai m'accouder à la fenêtre ouverte,
Le sang de mon désir à mes tempes battant.
Alors Paris chanta dans la nuit de printemps,
Rêves des boulevards et mystères des chambres,
Tant de femmes au fond des lits tordant leurs membres!
Le mimosa tomba des lèvres, le beau corps
Vint frissonner contre le mien... Je dis alors,
Écartant cette peau qui sentait la framboise:
«Les bijoux vous vont mal...» Elle ôta ses turquoises.

BAISERS MORTS

Au fond de tant de lits ses reins se sont pliés
Et tant de corps humains lui furent familiers!
Elle s'est exposée aux regards de tant d'hommes,
Elle a tant caressé, tant répandu le baume
De ses lèvres, elle a tant de fois dit les mots
Purs ou grossiers, qui sont nos plaisirs et nos maux,
Et tant de fois sué cette sueur amère
Dans la moiteur et la fatigue mortuaire
Qui suit le dernier spasme et le dernier frisson,
Que lorsque je m'endors sur son corps infécond,
Elle doit, en fermant les yeux dans les ténèbres,
Oublier quelles mains, quel front, quelles vertèbres
Sont couchés là, quel est le visage et le nom
De l'homme devenu ce soir son compagnon,
Que ses amants anciens prennent ma place étroite,
Que je sens leurs désirs défunts qui la convoitent,
Leurs frôlements avec les tares de leurs corps
Et que mon lit est plein de tous leurs baisers morts.

L'ENVOÛTEMENT

Il est dans un boudoir une affreuse poupée
Faite de cire vierge et d'oripeaux drapée,
Avec quelques cheveux mal collés sur le front.
Le polissoir, le kohl et le peigne lui font
Un cadre reflété par le miroir qui penche
Sur la coiffeuse. Avec une fine main blanche
La sorcière aux yeux noirs la touche et la pétrit.
Son corps dans le peignoir garde l'odeur du lit
Et le plaisir fait tressaillir les seins qui tremblent.
La petite statue en cire me ressemble.
C'est ma caricature avec mes vêtements.
Quatre cierges vont éclairer l'envoûtement,
L'air est lourd de l'encens que l'on brûle avec l'ambre.
La grosse manucure et la femme de chambre
Solennelles, s'associent, grotesques assistants,
Et récitent tout haut la prière à Satan.
Et la jeune sorcière aux yeux de jeune fille
Rit et perce mon cœur par trois fois d'une aiguille.

LA BÈTE

La bête est quelque part dans mon appartement.
Je ne fais pas de bruit, je marche doucement;
Si je pouvais dormir avant qu'elle s'éveille!
Mais je sens qu'elle est proche et qu'elle me surveille.
En vain entre mes draps je cherche à me tapir,
Tout à coup, d'un seul bond, elle vient s'accroupir
Sur ma poitrine, elle la fouille de son ongle,
Avec ma peur, avec ma douleur elle jongle
Et son mufle heurtant mon cœur comme un marteau,
Dans sa patte de marbre elle tient mon cerveau.
O bête! Jalousie affreuse aux cent visages!
Tu m'écorches par le supplice des images...
Je vois la bien-aimée entre des bras, pliant,
Se renversant pâmée avec des yeux brillants
Et le torse éperdu lancé de tous ses muscles
Dans l'élan de l'amour que coupent des cris brusques.
Toute la nuit la bête est là qui me fait voir
La bien-aimée au fond des obscènes miroirs
Avec tous les détails délicats de sa forme.
Dormir! pouvoir chasser la vérité difforme,
La bête aux visions, le monstre aux ongles clairs!
Mais elle est toujours là dans les minuits amers,
Elle souffle une haleine infecte, elle renâcle
Et toujours ses yeux verts reflètent le spectacle,
La scène, sur le lit d'hystérie et d'horreur.
Il faut, pour que la bête apaise sa fureur,
Que le matin naissant dans les carreaux jaunisse
Et je m'endors enfin, brisé par le supplice.

ELLE SENTAIT LE THYM...

Elle sentait le thym, la fraise et la jeunesse...
Elle était si sensible à la moindre caresse!
Elle s'abandonnait pour un bouquet de fleurs.
Elle sentait l'épi, la grappe et le bonheur...
Les effluves du soir lui rougissaient la bouche.
Elle faisait voler sa jupe et ses babouches
Pour un brin printanier de jeune volupté
Et la chaleur des yeux la faisait palpiter.
Elle avait de l'orgueil à n'être pas fidèle,

Hors des draps émergeait son torse de modèle
Et ses reins dont l'élan a ravagé nos nuits.
L'absence de plaisir était son seul ennui.
Elle sentait les prés, la fougère et la vie...
Créature charnelle et jamais assouvie,
Elle criait d'amour quand on lui faisait mal
Et vous mordait la peau de ses dents d'animal.
Elle sentait le buis, le sureau, la pistache...
Il fallait alterner le sucre et la cravache
Pour posséder ce corps qui n'aimait qu'être nu.
Elle riait, tendant ses seins d'enfant menu.
Dans sa bouche on buvait la saveur des fruits aigres...
Avec ses cheveux courts, ses hanches un peu maigres,
Elle offrait quelquefois des grâces de garçon,
Elle se renversait avec de grands frissons.
A présent, je suis loin, on l'a prise peut-être,
Ainsi qu'un bijou rare et savamment poli,
Ainsi qu'un chien enrubanné qui cherche un maître,
Une bête de luxe à jeter sur un lit...

LE MIROIR OVALE

J'avais tout disposé, le parfum, le peignoir,
Les babouches de soie et d'or, le collier noir,
La boîte de cristal pour mettre ses opales
Et le miroir d'argent, dont elle aimait l'ovale.
Elle n'est pas venue. Une femme passait.
Je l'appelai, j'ouvris la porte. Elle sentait
La laine, le café, la fatigue et la brume.
Vite, je lui donnai, pour qu'elle se parfume,
Le flacon. A son cou je mis le noir collier
Et les babouches d'or et de soie à ses pieds.
Le cristal retentit des épingles tordues
Et j'eus la nouveauté d'une épaule inconnue.
Mais quand sa main toucha l'ovale du miroir
Son haleine ou la mienne empêchait de s'y voir,
Faisait dans la buée un dessin de visage...
J'ai cassé le miroir à cause de l'image...

OTE TES VÊTEMENTS...

«Ote tes vêtements, étends-toi sur le lit...»
Et je la sentirai dans l'ombre qui rougit,
Les doigts tremblants au col de sa robe montante,
Une rose effeuillée au corsage, hésitante
Et déchirée au fond de sa chair par les mots.
Ses yeux auront les tons de laque des émaux
Sous l'or épais des cils qui se mettront à battre,
Ils deviendront plus grands, plus troubles, plus bleuâtres,
Elle défaillira sous la brutalité
Des gestes et voudra de ses doigts écartés
Dérober à demi son regard aux caresses.
La crudité des mots augmentant sa faiblesse
La fera crier de révolte en se donnant
Et mes lèvres des creux de son corps frissonnant
Feront courir la volupté comme une eau vive
Dans sa froideur de braise et sa pudeur lascive...

LE PASSAGE DE LA BELLE HEURE

La belle heure est venue et nous n'avons rien su.
Elle a sans doute ouvert la porte à notre insu,
Elle n'a pas sonné, elle a glissé sans geste.
Elle était près du feu merveilleux et modeste.
Nous n'avons pas été tous deux bien accueillants,
Toi, tu cachais ton beau visage souriant,
Tu n'as pas fait de thé, tu disais des paroles
Au hasard, tour à tour amicales, frivoles,
Et moi je calculais l'ennui de ces moments.
Celle qui vient nous voir pourtant si rarement,
Disparut sans adieu comme sans bienvenue...
Une belle personne, ai-je dit, est venue.
Nous l'avons ignorée alors qu'elle était là.
Je ne vois qu'à présent son charme et son éclat.
C'est dans le grand fauteuil qu'elle s'était assise.
Sa robe était en soie éteinte, amande et grise,
La chambre est parfumée avec son souvenir.
Nous laisserons la porte ouverte à l'avenir...
Pourvu que son image aux miroirs se révèle?
Quel regret de s'être ennuyé à côté d'elle!
On ne le sait qu'après! Qui donc nous préviendra

Quand l'heure du bonheur doucement entrera...

CELUI-LA, JAMAIS PLUS...

Quand tu reposeras près d'un autre, la nuit
Et que tu veilleras, comptant le temps qui fuit,
Écoutant bourdonner ton ardeur à tes tempes
Ou regardant trembler sur les tapis la lampe,
Peut-être croiras-tu me voir auprès de toi.
Ce seront mes cheveux où glisseront tes doigts.
Ce sera mon épaule à côté de la tienne.
Ce sera la présence et la chaleur ancienne.
Alors, te rappelant l'étreinte sur mon cœur,
Peut-être voudras-tu dans un plaisir trompeur
Ressusciter l'amour de ces nuits disparues.
Au bercement des bruits qui montent de la rue,
Au même creux du lit creusé par vos deux corps,
Tu chercheras à retrouver le frisson mort
Et trois fois tu m'appelleras du fond de l'âme
Et du fond de ta chair désireuse de femme.
La lampe tremblera toujours sur le tapis
Et les bruits monteront de la rue, assoupis,
Tu fermeras les yeux pour mieux voir apparaître
La volupté sortant du mystère de l'être,
Tu tiendras des cheveux, des vertèbres, des bras,
L'antique forme humaine en les ombres des draps,
Mais le baiser vivant sur nos lèvres fermées,
Celui-là, jamais plus, vois-tu, ma bien-aimée...

LE FANTÔME

Je revois quelquefois dans les glaces nocturnes,
Ton visage, l'éclat de tes yeux taciturnes
Et tes doigts effilés en ivoire malade.
J'entends auprès de moi tes talismans de jade,
Le frôlement perdu des robes familières...
O vertu des miroirs dans les nuits solitaires!
Je m'approche et je tends les bras vers ta pensée
Et je vois ton image un peu moins effacée,
Dans le clignotement des lampes qui s'endorment.
Au bout d'un chemin blanc se précise ta forme.

L'air de ma chambre close est plein de ta présence.
Le grand mystère ouvre ses portes de silence
Pour me rendre, encadré des colliers et des gemmes
Et du peigne d'argent, le sourire que j'aime.
O bouquet de pavots où se cache une rose!
Je suis près du miroir et tendrement j'y pose
Un baiser. Et voilà qu'une vie délicate
Fait trembler les rideaux, brûler les aromates.
J'entends le linge mort qui bouge dans l'armoire
Et tes bijoux tombant dans la coupelle noire
Et le papier froissé des livres que tu touches.
Je vois ressusciter tes petites babouches,
Ton peignoir noir et or aux nuances passées...
Mais le baiser finit... Mes lèvres sont glacées...
Voilà la chambre morne où l'air est moins fluide...
Miroir terni! Peignoir défunt! Babouches vides!...

LE COMPAGNON

Il a les pieds feutrés, il est masqué de noir...
Il marche sans lanterne à travers les couloirs...
Il fait le long des murs un bruit de feuilles mortes...
Il gravit l'escalier, il en touche les portes
Et sous les paillassons il ramasse les clefs...
Il entre... Son visage est rougeâtre et pelé,
Il a la jambe grêle et le crâne difforme.
Il se tient, grimaçant, auprès de ceux qui dorment
Ou de ses doigts sans ongle il caresse leurs yeux.
Par son attouchement humide, les cheveux
Se détachent, un mal blanchâtre vient aux bouches,
Une corruption gagne la chair qu'il touche.
C'est pire pour le cœur. Fermez la porte, allez,
Et sous le paillasson ne laissez pas la clef.
C'est toujours lui qui vient, non la visite chère.
Je le sais. C'est pourquoi j'allume les lumières,
Je prépare un souper, je me mets en habit
Et j'attends, solennel, cette hôte de minuit,
Parmi tous les reflets électriques des glaces.
Le monstre vient, ricane et je lui dis: Prends place
Devant moi. Il s'assied. Son œil malade luit.
Il enlève son masque. O seigneur! Et la nuit
Est longue. Nous buvons. Jamais je ne m'écarte

S'il s'approche de moi. Sais-tu jouer aux cartes?
Non. Moi non plus. Lis-tu des livres? Non, jamais.
Surtout ne parle pas de celle que j'aimais...
Nous buvons. As-tu froid? Voici la couverture.
On entend un laitier passer dans sa voiture...
Quand le bonheur s'en va, vois-tu, c'est pour toujours...
Et nous nous endormons tous deux au petit jour...

FEMME AUX BIJOUX

Un piano bleuté
Couleur de nuit d'été,
Des tentures mauves
En velours byzantin,
Des bijoux, des écrins,
Sur des peaux de fauves,

Du feu, des miroirs froids,
De vieux panneaux chinois,
Des cuivres, des laques...
Dans un vase en cristal
Se mêlent le santal
Et la sandaraque...

Les rideaux sont épais,
Le jour ne luit jamais,
C'est le lieu que j'aime...
Et sur ton ventre impur
Tu fais couler l'azur,
Le grenat des gemmes.

Ah! laisse à tes genoux
Ce ruisseau de bijoux,
Ce torrent de bagues,
Car il n'est de saphir
Qui vaille un souvenir
Dans tes grands yeux vagues.

Je préfère aux anneaux
Sculptés dans les métaux,
Aux splendides chaînes,
Aux perles par milliers,

L'invisible collier
Tressé de mes peines.

Sa forme et sa beauté,
Ni ce qu'il m'a coûté
Afin qu'il existe,
Tu ne sais pas cela.
Tes yeux ont plus d'éclat
Lorsque je suis triste.

Voir tes yeux noirs verdir
Est mon plus cher plaisir
Et tous les topazes
Semblent moins orangés
Que ton corps allongé
Sans turban, ni gaze.

Aussi voici ce soir
Le collier aux grains noirs
Que seuls mes yeux voient.
Des perles de mes pleurs,
Du fil de mes douleurs,
Tu feras ta joie.

L'AME DES PAVOTS MORTS

L'âme des pavots morts monte dans la fumée...
Je contemple, étendu, les visages humains,
Les meubles délicats, les choses bien-aimées,
Bercé sur le vaisseau de l'opium divin.

L'homme à tête de chien se penche sur la lampe,
La femme aux anneaux d'or avec son corps étroit,
Ainsi qu'un serpent blond et métallique rampe,
Ondule et me saisit et s'enroule sur moi.

Une autre, épaisse et fauve, ainsi qu'une crinière,
Fait tournoyer dans l'air ses boucles de lion,
Tandis qu'un peu plus loin les yeux d'une panthère
Fixent sur moi le vert glauque de leur rayon.

Dans les feux de la soie errent des chats magiques,
Tordant nonchalamment leur corps phosphorescent,
Des oiseaux font pleuvoir dans un vol féerique
Un arc-en-ciel de leur plumage éblouissant.

Tout un peuple grouillant dans les coins s'accumule,
De fourmis d'or, de vers ailés, de scorpions.
Les élytres, les corselets, les mandibules
Vibrent en se froissant et craquent par millions.

Je vais être mangé par cette vie étrange,
Par ce règne animal puissant qui vient du fond
Des ombres, mais voilà que l'homme-chien se change
En un arbre si haut qu'il perce le plafond.

Des fleurs vivent dans la crinière léonine.
Le long des murs coule un torrent de végétaux.
Le bambou de la pipe, ainsi qu'une racine,
S'enfonce fortement dans le sol du plateau.

Une forêt de lis et de roses géantes
Monte des satins bleus, jaillit des noirs velours,
Je vois naître et grandir des arbres et des plantes
Avec des troncs épais et des feuillages lourds.

C'est un fourmillement d'herbes parasitaires,
De lichens animés, de lierres vivants.
Le flot continuel des forces millénaires,
Dans les germes, les sucs, coule en les dévorant.

Puis, un dessèchement par l'excès de la vie
Se produit. Les forêts prennent des airs spectraux.
Dans l'humus qui s'amasse et qui se stratifie,
Je vois la fougère fossile et les coraux.

Je suis dans un désert de schiste et de calcaire,
Où sont carbonisés des herbages marins,
Dans un monde de houille et de couloirs lunaires,
De cristaux condensés par des feux souterrains.

Je vois des gisements de sel et de pétrole,
Des lacs vitrifiés stagnant dans du mica,

Des monts diluviens m'entourent et me frôlent,
D'étranges geysers m'aveuglent de leurs gaz.

Immobile, j'assiste aux naissances des pierres,
A la formation secrète des métaux,
Et sous les astres bleus d'époques tertiaires,
Le naphte en fusion m'emporte sur ses eaux...

—Ainsi, je vois, le soir, des milliers d'images
Que l'âme des pavots répand sur les coussins,
Je remonte le cours des races et des âges,
Bercé sur le vaisseau de l'opium divin.

L'INCONNU FAMILIER

Les meubles de ma chambre étaient tous à leur place,
La lampe à la clarté tamisée, un peu lasse,
Le livre ouvert, le lit compagnon blanc et nu.
Mais au fond du miroir marchait un inconnu.
Il était plus âgé que moi. Sur son visage
La tristesse et le mal avaient fait leurs ravages.
Ses yeux étaient brillants, un peu faux et glacés.
Il semblait revenir des pays du passé...
Il n'avait pas l'air bon. Il grisonnait aux tempes.
Et lorsque je voulus baisser un peu la lampe
Pour le voir moins, je vis qu'il la baissait aussi.
Ah! nous devrions pourtant ainsi que deux amis
Sincères, se trouvant après un long voyage,
Compter les actions mauvaises, le bagage
De bien et les regrets que l'on a rapportés.
Mais non, on ne veut pas, c'est triste de compter.
Le bagage de mal est si pesant et l'autre
Si léger! Mes chagrins et mes plaisirs, les vôtres
Valent-ils que tous deux nous en parlions ce soir?
Non, je ne dirai rien à l'homme du miroir...
L'on rentre, l'on est las. C'est tard, on se rappelle...
Le lit est trop étroit... Le miroir trop fidèle...
L'on voudrait tant penser à celui qu'on n'est plus!
Il ne faut pas... Laisse le livre à demi lu,
Et laisse les remords autour de toi qui rampent...
Pauvre homme, couche-toi, éteins vite la lampe.

LE SPECTRE DES SOUVENIRS

LE PRÉSENT SUBTIL

Je songe qu'elle est seule à l'ombre du cyprès,
Loin de la sombre ivresse et du plaisir secret
Qu'elle goûtait, couchée en robe jaune et noire.
Alors j'ai pris la lampe et la boîte d'ivoire,
La pipe à bout de jade et le plateau d'argent
Et les trois scarabées de nacre aux feux changeants
Et roulé sous mon bras sa robe préférée.
Je suis le chemin creux dans la chaude soirée.
Le cimetière est proche et le mur n'est pas haut
Et l'on sent que les morts dorment mieux sous l'air chaud,
Quand le vent ne fait pas bouger croix et couronnes.
Sur le tertre, j'étends la robe noire et jaune,
J'étale les objets sur le plateau sculpté
Et dans le calme mortuaire de l'été,
Tenant l'ivoire blême et la pipe de jade,
Tout ce que chérissait ma tendre camarade,
J'aspire la fumée et la jette aux gazons.
Toi qui dors pour jamais dans l'humide maison
De terre, dont le seuil est cimenté de plâtre,
Sans robe tiède d'ambre et sans lampe rougeâtre,
Un ami vint ce soir fumer auprès de toi.
Ah! que le grand parfum mette en ton lit étroit
Au vestige allongé de ta figure humaine,
Malgré la dureté de la terre chrétienne,
Le sourire éternel du vieux Bouddha de bois,
Que je place ce soir à côté de ta croix.

LE SOUVENIR CARICATURAL

O souvenirs! La nuit était chaude et malsaine,
D'électriques chaleurs rôdaient près des maisons.
Par la fenêtre entraient de vivantes haleines
Et je me suis penché dans l'air plein de poisons.

Alors, j'ai vu venir le cortège bizarre.
Des eunuques avec des manteaux byzantins.
Puis des hommes fardés qui portaient des simarres
Et des jupes, couverts d'ornements féminins.

Des nègres solennels élevaient une châsse
Vers le ciel et je vis sous le verre en couleurs
Une grotesque idole en cire dont la face
Pleurait du sang. Un stylet d'or trouait son cœur.

D'énormes talismans, des formes priapiques,
Un Bouddha de bois peint, vivant et grimaçant,
D'exsangues chérubins aux ventres hydropiques,
Des vieillards aux virilités d'adolescents...

Toute nue au milieu marchait la bien-aimée,
La splendide aux seins droits, sous ses torsades d'or...
Mais horreur! Elle avait la taille déformée,
Des seins hideusement gonflés, des genoux tors....

Cette perfection, cette splendeur suprême
Était un corps rempli de rougeurs et de trous,
Et seul les yeux divins étaient restés les mêmes
Comme deux diamants perdus dans un égout.

Un perroquet juché sur son épaule gauche
Battait des ailes et la frappait de son bec.
Un être au teint parcheminé par la débauche
Derrière, dans sa chair enfonçait son doigt sec.

Une vieille en haillons qui tenait une torche
Ricanait et parfois lui roussissait les reins.
Et les lanternes clignotaient et sous les porches
S'esclaffaient le mendiant, la fille de l'assassin.

«Je t'aime, ai-je crié, toi l'unique et la pure!»
Les bras tendus vers l'idéal martyrisé.
Mais le ciel descendait comme pour l'écraser...
O souvenirs! O morts vivants! Caricatures!...

LES ABSENTS SONT DES MORTS

Les absents sont des morts qui n'auront pas de roses...
On ne prépare pas la chambre en pierres closes
Et l'on n'allume pas les quatre chandeliers.
Pour eux, pas de draps neufs, pas de bouquet lié
Avec ce jonc ténu qu'est un regret fragile.

Aucune illusion de forme volatile,
De halo lumineux et doux qui reviendrait
Hanter l'appartement où dort l'ancien secret.
Le temps fait du pastel une esquisse plus pâle,
La chaleur de la chair du sein ternit l'opale,
La rose s'évapore au fond du flacon d'or,
On le sait, on le dit... Les absents sont des morts.
Mais pourtant l'on voudrait tellement n'y pas croire,
Être encor l'habitant d'un coin d'une mémoire,
Dans la chambre d'hiver où sont les souvenirs.
Les absents sont des morts qui voulurent mourir.
La lettre est la couronne en immortelles fausses
Qu'on attache d'un fil de fer aux croix des fosses.
Le cœur y sonne vide autant que le métal,
De l'emblème agité par le vent glacial.
Puis plus rien. Même pas les fausses immortelles.
La pluie use les noms, les vases et la stèle.
Le fruit noir du cyprès tombe comme un remords
Du bonheur qu'on n'a plus... Les absents sont des morts...

LE VIEIL HÔTEL

J'ai gravi l'escalier où clignotait la lampe,
Sans ma canne de jonc, mon ancien chapeau clair.
Le bois comme autrefois gémissait et la rampe
Plongeait on ne sait où sa spirale de fer...

Le cœur du pauvre hôtel battait sous chaque porte.
La patronne en riant m'a tendu le bougeoir...
Que la voûte est étroite au souvenir qu'on porte
Quand elle était si vaste autrefois pour l'espoir!

J'ai pris la clef avec son numéro de cuivre
Ainsi qu'un talisman ouvrant des palais morts
Et sous mes cheveux longs d'alors j'ai cru revivre
Dans l'ombre humide du tournant du corridor...

J'ai vu monter l'antique aurore merveilleuse
Que contemplaient ces cœurs de vingt ans sans chagrin
Et glisser la blancheur des jeunes repasseuses
Dans une odeur de linge frais et de matin.

J'ai vu la chambre avec la table et les bougies,
Les livres rejetés, les cartes et le vin,
Le cadre désuet de l'enfantine orgie
Où chantaient les jetons, le rire et le satin.

Une voix étouffée a dit mon nom, des verres
Se sont entre-choqués quelque part, tristement.
L'hôtel dormait avec ses amours, son mystère...
Je suis redescendu silencieusement...

Et j'ai vu devant moi ma jeunesse qui marche,
Boiteuse, aux traits maigris, lasse et traînant le pied,
Et son doigt m'a montré sur la dernière marche
Le beau visage mort de la chère amitié.

«Dans les murs suintants et dans la moisissure,
O divine amitié, tu dors de ton sommeil,
Je ne connaîtrai plus que tes caricatures,
Je n'attends plus de toi ni baiser ni réveil.

«Mais je veux te bercer plus pure qu'une vierge
Comme dans un berceau, dans l'ombre du couloir.
Pour la veille de mort, à la place de cierges
Autour de toi j'allumerai quatre bougeoirs.

«Devant ta forme nue, immobile et clouée,
Mes mains élèveront un étrange ex-voto,
Fait du vin bon marché, des bottines trouées,
Des sous qu'on partageait, du pain et du réchaud.

«Et là, sous l'escalier rongé, dans les ténèbres,
J'accomplirai pour toi des rites solennels,
Ayant comme assesseurs de la veille funèbre
La patronne joyeuse et le garçon d'hôtel.»

LA SOLITUDE DES FEMMES

Il a pu se glisser malgré les portes closes
Et son souffle a soufflé la lampe doucement.
Il a flétri la robe et ravagé les roses...
Le malheur est venu dans les appartements.

Aussi long et muet que l'attente des lettres,
Dans la chambre est assis ce terrible témoin.
Il a fallu, le soir, dormir avec ce traître
Et le voir se tapir comme un chien dans les coins.

Nul coussin ne gardait l'ovale de la tête
Et les portraits avaient un visage lointain.
Il a sali la couverture violette
Où naguère chantait le baiser du matin.

Nulle main ne prenait le soleil des persiennes
Et ne l'éparpillait sur les peignoirs d'été,
Seul, il a ricané comme font les hyènes,
Riant des jours perdus et des bonheurs gâtés.

Sur chaque souvenir il a mis une tache.
L'angoisse vient avec l'approche de la nuit.
Et comme il sait, hélas! combien le cœur est lâche,
Il mêle savamment la peur avec l'ennui.

L'ombre s'emplit soudain de formes et d'images.
Une goutte de sang coule sur le plafond
Et la porte entr'ouverte est un obscur passage
Par où, dans un couloir, des civières s'en vont.

On entrevoit là-bas une blancheur de salle...
L'ombre d'un prêtre passe avec les sacrements...
Au loin, emmaillotée, une figure pâle...
L'éclair des bistouris... Des déclics d'instruments...

L'iode et l'éther... L'odeur fade du chloroforme...
C'est un musée de cire entre des murs ouatés...
Comme dans un tombeau les malades s'endorment
Et tout d'un coup les hurlements d'un amputé...

Le malheur tourne et danse à présent dans la chambre,
Il vient de faire entrer des êtres singuliers.
L'un a les reins cassés et cependant se cambre
Grotesquement, tendant une jambe sans pied.

L'autre a l'air d'éclater d'un rire diabolique,
Mais il pleure: les lèvres manquent sur ses dents.

L'autre veut vous saisir de sa main mécanique...
Une mâchoire d'or fait un bruit obsédant...

Le manchot fait pirouetter l'unijambiste...
De ses deux yeux de verre, un autre obstinément
Vous fixe... On ne sait quel orchestre étrange et triste
S'élève on ne sait d'où pour ce bal d'impotents...

—«Seigneur, je reconnais l'homme sans chevelure,
Le scalpé, le manchot, le boiteux, l'estropié.
Tous ceux que j'ai chéris sont des caricatures,
Des morts qui, du tombeau, n'ont pu fuir qu'à moitié.

«Vous qui marchez, tremblants de précoce vieillesse,
Dont des ressorts cachés articulent les bras,
Avez-vous oublié l'odeur de mes caresses
Et le creux de mes reins dans la chaleur des draps...

«Je veux baiser la chair à vif de vos gencives.
Me presser sur vos seins ouverts par le scalpel
Et voir flamber sous vos paupières maladives
La flamme des vieux soirs amoureux et cruels...

«O cortège des éclopés, des invalides!
Je vous reconnais tous, vous êtes mes amants...
Mon corps était si seul dans les longues nuits vides...
Venez, le lit est prêt, j'ouvre mes vêtements...»

—C'est ainsi que le soir, les femmes hystériques,
Mangeant leurs voluptés et dévorant leurs pleurs,
Se tordent, faibles proies de leurs songes lubriques,
Dans les appartements que tu hantes, malheur!

LE NOM A VOIX BASSE

Je t'ai donné la fleur de mes cheveux d'abord,
Le matin et le soir je t'ai donné mon corps.
Je ne réclame ni le plaisir ni la rose.
Tous deux sont morts. Mais en échange de ces choses,
Pour la goutte de volupté, pour le parfum,
Pour l'unique soupir au fond du lit défunt
Dont je ne veux ni souvenir, ni regret même,

Demain, en étreignant la femme que tu aimes,
Murmure doucement mon nom, tellement bas,
Qu'en buvant ton haleine elle n'entendra pas;
Que ta lèvre sur elle en dessine l'image,
Qu'il baigne ainsi qu'une atmosphère son visage,
Ce nom léger, évaporé, cristallisé...
Elle prendra ta bouche et j'aurai ton baiser...

TRISTESSE D'OLYMPIO

C'était au même endroit, près de la même écluse,
Le long du même quai, sur le même canal.
Dans les arbres maigris la lumière diffuse
Baignait comme autrefois le paysage banal.

Devant le banc où l'on voyait les terrains vagues
Je l'ai croisée. Au loin résonnait un tambour,
Et le ciel était plein de cette grande vague
De poussière, mêlant la ville et les faubourgs...

Oui, c'était cette femme, et c'était ce visage,
Et c'était cette main que j'avais tant pressés.
Mais le verre du temps m'en déformait l'image,
Les yeux étaient bouffis, ternes, rapetissés.

Elle marchait avec une morgue grotesque.
Elle semblait avec son corps incontinent,
Son allure bourgeoise et pourtant romanesque,
Un oiseau hydropique, un cygne bedonnant.

Pourtant, j'avais chéri cette caricature
Et je m'étais chauffé des chaleurs de son sang.
Ensemble nous trouvions belle cette nature,
Nous goûtions sa laideur, nous en savions le sens...

Un prestige étonnant l'enveloppait sans doute
Qui nous faisait aimer le pont, l'octroi fumeux,
Les premiers becs de gaz clignotant sur la route
Et les tramways glissant entre les champs galeux.

—Mais quoi! Je suis peut-être un être dérisoire
Pareil à cette femme, à ce morne désert.

L'écorce de jeunesse et le fruit de la gloire
Sont peut-être tombés de l'arbre de ma chair.

Ah! pourquoi regarder le visage terrible
Des êtres oubliés et des lieux disparus!
Qu'il coule loin de moi, souterrain, invisible,
Le fleuve des beautés qui ne reviennent plus!

O souvenir! frère du mal et de la peine,
Ressuscité, reste à jamais enseveli,
Sous ta forme terrestre ou sous ta forme humaine,
Dans le vase de plomb scellé par mon oubli.

L'EMBAUMEUSE

Elle a des yeux très longs et des mains minuscules,
Elle habite au fond de l'allée une villa
Et l'on la voit marcher de loin au crépuscule
Parmi les camphriers, les pins, les seringas.

Sous son peignoir ouvert elle semble si lasse!
On dirait que le vent la fatigue et l'endort,
Le pli que fait le cou sur l'épaule un peu grasse
Trahit la volupté qui repose en ce corps.

Mais une étrange ardeur l'anime et la fait belle
Lorsqu'on vient lui porter la nuit secrètement
Un mort qu'à l'hôpital on a volé pour elle.
Elle aime mieux ce mort que le plus tendre amant.

Ah! quelle volupté de verser des essences,
De sculpter à nouveau des visages humains,
De refaire la vie avec des apparences,
D'avoir l'éternité dans ses petites mains!

Dans la chambre aux miroirs brillent toutes les lampes.
Elle prend le scalpel, le crochet tour à tour,
Elle enlève du front la cervelle, elle trempe
Le pinceau de métal dans l'huile avec amour.

Joyeuse, elle se livre à d'étranges chimies.
Elle mêle avec art le musc et le natron,

Elle donne des yeux de verre à ses momies
Enlumine de feu le parchemin du front...

Et quand les corps dans les substances balsamiques
Ont baigné longuement, qu'ils sont vernis, séchés,
Mortuaires bouquets d'aromates magiques,
Dans une chambre close, elle va les coucher.

Ils dorment oints d'odeurs par ses mains délicates.
Elle vient les veiller, elle leur parle bas,
Elle effleure parfois leurs lèvres écarlates,
Elle met des pavots coupés entre leurs bras...

Ou bien elle s'en va le soir dans les allées
Avec un grand bijou planté dans ses cheveux.
Elle tient sur son cœur une tête embaumée
Et baise quelquefois les yeux de cristal bleu.

Et moi je fus aussi porté chez l'embaumeuse.
Dans la chambre aux miroirs je me suis allongé,
J'ai senti le contact de ses mains merveilleuses,
Je fus par son scalpel vidé, puis partagé.

Je repose au milieu des pavots, bourré d'ambre,
De myrrhe, d'aloès et de nard pénétré.
J'entends son pas feutré qui glisse dans les chambres
Et j'ai la bouche peinte et les ongles dorés.

Ah! que ce soit bientôt à mon tour; prends ma tête,
Va-t'en parmi les seringas qui vont fleurir,
Mets le baiser du soir sur ma bouche muette
Et tends vers le soleil mes yeux sans souvenirs.

LE HUITIÈME PÉCHÉ

LA CRAINTIVE

Je t'attendrai ce soir dans mon appartement...
Le quartier est désert, mystérieusement
Sous ta fourrure large et ta voilette épaisse,
Avec des seins battants que la terreur oppresse,
Tu monteras mon escalier, tu franchiras
Ma porte et trembleras longtemps entre mes bras.
Il faudra que je guette aux carreaux, que j'apaise
Tes remords orgueilleux et tes pudeurs mauvaises.
Mais plus tard, quand j'aurai réveillé ton pouvoir
De volupté, comme un parfum dans l'encensoir
Qu'on fait tourbillonner au contact d'une flamme,
Quand tu tordras d'amour ta forme qui se pâme,
C'est toi qui, tout à coup, tireras les panneaux
De la chambre, soulèveras les lourds rideaux,
Afin que les amis qui fument et qui rêvent
Dans la pièce voisine, un instant se soulèvent,
Voient leur songe voluptueux réalisé
Par ton corps rose et jaune et bleui de baisers.

L'HORREUR TENTATRICE

La tendre, la fidèle et la chaste était là...
C'était la peau de rêve au transparent éclat,
Le long cou délicat sur la gorge pudique.
D'un balcon bleu tombait une étrange musique.
Sur une soie indienne et des voiles rayés,
Elle se renversait avec les yeux noyés.
C'était elle! Et la jambe au dessin impeccable
Émergeait de la robe aux plis insoulevables.
Le pur mystère aimé de sa forme s'offrait.
O seigneur! Une main nonchalante serrait
La cheville et montait et s'arrêtait et, glauque,
Une bague y brillait comme un œil équivoque.
Deux hommes qui fumaient se penchaient pour mieux voir
Les lampes du souper flambaient dans les miroirs.
Elle cambrait son buste et soudain une face
Dont je ne distinguais que les deux lèvres grasses,
Prit ses lèvres, les écrasa, les savoura.

La tension des seins et le geste des bras
Indiquaient le plaisir qui consent et désire.
On entendait un bruit de verres et de rires...
Des fleurs au pistil noir s'effeuillaient à côté.
Une autre main plongeait dans le décolleté
Du corsage, arrachait les rubans et, pâmée,
Se dévoilait à tous la forme bien-aimée.
Pitié! Chassez au loin l'obscène vision!
La scène était plus proche et plus nette aux rayons
Des lampes qui tournaient comme des soleils ivres...
Je voyais le ruisseau de ses cheveux en cuivre
Couler parmi les arabesques du tapis.
Les murs prenaient de fantastiques coloris
Tachés en violet par des têtes lubriques...
Crucifiée, extasiée et magnifique,
Celle que j'adorais se tordait an milieu
De ces hommes dans un désordre radieux
Sous les bouquets penchant de lis, de balsamines
Qui lui tendaient de sexuelles étamines...
Et puis un grand silence arriva, tout se tut.
Une ombre s'étendit et je n'entendis plus
Que son rire, mais déformé, rauque, cynique,
Un rire de plaisir, un grand rire hystérique...

LES TROIS ADOLESCENTS

Descendons l'escalier, me dit-elle, viens voir
La chambre souterraine avec ses trois miroirs,
Le caveau vert au fond du cloître de porphyre.
Je la suivis. Je vis son émeraude luire
Ainsi que dans un conte on voit un talisman.
La voûte s'éclairait surnaturellement.
Et par le tournoiement des marches j'étais ivre...
Cela nous conduisit jusqu'à la porte en cuivre
Où le signe ambigu des deux sexes mêlés
Et celui de l'hermaphrodite immaculé
Etaient gravés en or sur le métal vert pâle.
Nous entrâmes. La salle avait des murs d'opale
Et sur un grand velours glauque aux bavures d'or,
Ayant le fauve éclair, par places, sur leur corps,
Des trois gouttes de feu des lampes qui saignaient,
Les trois adolescents ingénus s'étreignaient...

La bien-aimée alors fit tomber son manteau,
Elle s'avança nue avec un seul joyau
Bleuâtre autour du cou, ses cheveux se défirent.
Elle se laissa choir par terre et je vis luire
Une main aux doigts peints avec un bracelet
Qui doucement prenait sa nuque et l'attirait...

JE TE RÊVE, CASQUEE...

Je te rêve, casquée avec des cheveux bleus,
Devant l'adolescent étrange agenouillée
Comme devant un christ fardé, silencieux,
Dont tu baises le corps de ta bouche souillée.

Un reflet de chasuble erre dans les rideaux,
La nappe de l'autel est faite des draps vierges,
Le soir, en clignotant, jaune sur les carreaux,
T'éclaire nue ainsi qu'un invisible cierge...

Les prières, les fleurs, les rites et le soir
Font du tendre boudoir une chapelle infâme.
Il semble qu'un parfum fauve de chair de femme
S'élève quelque part d'un obscur encensoir.

Soudain la main du dieu serre ta nuque frêle,
Il se tord et défaille ainsi que pour mourir.
De l'ombre qui descend les miroirs s'ensorcellent.
La ville chante au loin l'oraison du plaisir.

Puis son visage peint se détend. Il repose.
Son corps mince s'enfonce au milieu des coussins...
Dans tes cheveux, sa main aplatit une rose...
Un hoquet de désir soulève encor tes seins...

LA FEMME AUX TROIS COLLIERS

La femme aux trois colliers sur l'homme asiatique
Se pencha, le frôlant des perles magnétiques
Et du chrysobéril verdâtre de son cou.
Le mulâtre à côté la tenait aux genoux
Dans la robe de bal plongeant sa tête épaisse

Et riait quand la fine main d'une caresse
De son rubis aigu l'égratignait exprès.
L'homme fiévreux de race blanche était auprès
De ce groupe, écoutant battre son cœur malade...
Du calice des lis sortait une odeur fade
Et sexuelle. Alors la femme tout d'un coup
Roula dans les coussins avec un rire fou,
Aux mâles frémissants s'offrant comme une proie...
Le crissement des peaux, le craquement des soies,
La robe partagée en deux des pieds aux seins,
Les hoquets de désir, les regards d'assassins,
Et l'éclair d'un poignard que lève l'homme blême...
La femme se dressant, le corps nu sous ses gemmes,
Tord alors le poignet débile, elle saisit
Un fouet caché parmi les velours cramoisis
Des tentures et cingle à grands coups le visage
Que la fièvre, la peur et la honte ravagent.
Puis, elle va s'étendre encor lascivement
Près du jaune muet, du mulâtre charmant,
Elle écrase par jeu l'or des lis sur leur bouche,
Ou les agace avec le bout de sa babouche...
Tous les plaisirs mauvais dans l'ombre sont assis
Et l'homme au front zébré pleure sur le tapis...

REPAS D'HOMMES

Le vin tachait la nappe et les plastrons des hommes
Et l'électricité dansait sur les cristaux...
Parfois glissaient de noirs maîtres d'hôtel fantômes,
L'alcool et le tabac empoisonnaient l'air chaud...

Et mes trois compagnons qui brandissaient leurs verres
Semblaient des animaux de plaisir laids et lourds.
Ils s'épanouissaient, jaunes, dans la lumière,
Ils bavaient de désir et hoquetaient d'amour.

Leurs bagues reluisaient comme des dents magiques.
C'étaient des fauves excités par de la chair.
La luxure mouillait leurs babines lubriques,
Une odeur féminine exaspérait leur flair.

Comme un gardien avec le fer pique des bêtes,
J'entretenais leur rut de propos singuliers
Et mon propre poison me montant à la tête,
Du feu que j'allumais je me mis à brûler.

«Dans un appartement profond, tendu de soie,
Sous la veilleuse rose et sous le baldaquin,
Elle dort presque nue et sa peau qui chatoie
Semble un bijou charnel serti de linge fin.

«Quand elle se repose elle a l'air d'une vierge.
C'est une courtisane au premier mouvement
Et sa gorge à minuit de la chemise émerge
Comme une pulpe d'or où vivent des ferments.

«Dans un demi-sommeil impudique et candide,
Elle se pâme en m'attendant, vivante croix.
Suivez-moi. Vous verrez que son corps est splendide,
Qu'elle a la jambe longue avec le buste étroit...»

Et l'avide troupeau qu'une flamme ensorcelle
Suivit le possédé que j'étais devenu.
Il faisait une nuit d'orage chaude et belle...
Dans les nuages se tordaient des êtres nus...

Les restaurants vibraient d'orchestres érotiques,
Des spasmes cadencés secouaient les maisons,
La ville tressaillait d'un rythme fantastique
Où se mêlait l'étreinte avec la pâmoison.

«Il est tard... Que fais-tu... C'est moi, ma bien-aimée...
Les meubles, les tapis me soufflaient son odeur...
Quand ma main se posa sur la portée fermée
Je défaillis d'espoir, de désir et d'horreur.

Je la pris par le corps et j'allumai la chambre,
Et j'arrachai le linge et les draps. La voilà!
Un parfum de cheveux, de femme blonde et d'ambre
M'enivrait. Allez donc, les bêtes, prenez-la...

Et sur l'être charmant qui criait d'épouvante
Dont j'avais adoré le cœur et la beauté,

Qui me tendait ses mains blanches et suppliantes,
Les trois fauves aux groins affreux se sont jetés.

Plus tard j'ai ramassé les roses écrasées
Qui faisaient sur les draps de grands cercles de sang.
Maîtrisant mon dégoût et domptant ma nausée,
J'ai recouvert de fleurs le corps éblouissant.

Elle pleurait à grands sanglots, vaincue et lasse,
Et grelottait dans le lit creux sous les draps froids.
«O splendide, ai-je dit, tu peux me rendre grâce,
Car je t'aimerai mieux, souillée ainsi trois fois.

«Tu m'humiliais avec une fausse noblesse.
Désormais, en cherchant le soir la volupté,
Nous serons tous les deux égaux dans les caresses:
Nous avons renié l'infâme pureté...»

LE MASQUE DE LA BEAUTÉ PERDUE

LE MASQUE DU SAMOURAÏ

Ce soir, la bien-aimée avait mis l'affreux masque
Japonais et mimait une danse fantasque,
Me montrant en riant, comme un épouvantail,
Le désespoir en laque feu du Samouraï.
Elle faisait voler son peignoir sur sa tête,
Dévoilait les beautés et les lignes secrètes
De ses genoux étroits, de son buste nerveux
Que surmontait bizarrement le masque affreux.
Mais quand elle voulut l'ôter, la laque en flamme
Ne faisait qu'un avec son visage de femme.
Ses ongles vainement labouraient cette horreur
Collée à elle, pour toujours sur la splendeur
Du bel ovale pur, vivait comme une plaie
La grimace du mal et de la laideur vraie.
Beauté! malheur à qui t'oublie un seul instant!
La bien-aimée hurlait d'effroi, se débattant,
Et sa voix devenait éloignée et démente
Sous les longs poils de soie et la laque éclatante.

LE TEMPLE BRÛLÉ

La flamme a ravagé les tombeaux, les symboles,
Mangé les portes d'or, détruit le péribole.
Sur les murs calcinés du temple, j'ai voulu
Retrouver le dessin, la beauté qui n'est plus,
A grands coups de pinceau restaurer les vestiges
Des rêves, recréer l'image et ses prestiges...
Comme un bon ouvrier, dès l'aurore au travail,
J'ai dressé mon échelle et refait le portail,
J'ai repeint la cella, repeint le péristyle,
Cherchant chaque contour et sa ligne fragile,
Redonnant de la vie aux visages des Dieux.
Et quand, longtemps après, avec un cœur pieux,
J'eus remis tous les bleus, tous les ors sur les fresques,
Je vis autour de moi mille formes burlesques,
La pitié s'accouplant partout avec le mal,
Les luxures tournant en un étrange bal,
Des animaux mêlés aux belles créatures...

J'avais à mon insu contrefait les peintures!
J'ai repris la palette et trempé le pinceau.
Mais j'erre vainement sous l'ombre des arceaux,
J'ai perdu la beauté que tu brûlas, ô flamme!
Sur les murs calcinés du temple de mon âme...

LA BONTÉ

Je ne crois pas qu'un dieu, dans de justes balances,
Pèse mon poids de bien et ma valeur de mal.
Nul jugement dernier ne rompra le silence.
La terre donnera de son grand rythme égal
Sans souci de pardon comme de récompense
Sa richesse féconde et son pouvoir vital,
Je suis un homme seul avec l'homme en présence.

Or je vois le vieux champ terrestre ensemencé
De sang humain; des laboureurs de trépassés
Retournent les sillons pour un blé mortuaire.
L'ivresse des clairons dans l'aurore a passé
Et la fleur des drapeaux rougeoie à la lumière...
Et pourtant dans mon cœur je ne puis renoncer
A la loi de bonté que m'enseigna mon père.

C'était jusqu'à ce jour ma seule vérité,
Le bâton de ma vie et l'appui de mon âme.
Je savais dans le mal et dans l'adversité
Qu'il était quelque part un refuge écarté
Sur la bonne colline, où brûlait cette flamme.
J'y trouvais plus d'amour, même plus de beauté
Qu'en l'amour du soleil et l'amour de la femme,

Comment renoncerais-je à ma part d'héritage?
Je l'ai reçu si pur d'une si pure main!
Celui dont je le tiens le tenait en partage
D'un vieil homme blanchi, semblable de visage,
Et ce don est venu des temps les plus lointains.
Je garde ce dépôt du mal et de l'outrage.
Je veux transmettre aussi mon héritage humain.

Qui donc le recevra de la plus jeune race
De ces hommes marqués par une croix de sang?

Les cœurs sont plus mauvais, la lumière est plus basse.
C'est un soleil de mort qui dans le ciel descend...
Sur la vallée où sont les êtres gémissants
Qui poussera le cri du monde renaissant?
Quel héros juvénile osera crier grâce?

Par la nativité de la vigne et du pain,
Par le commencement des rites géorgiques,
Par le pollen, par le bourgeon, par le levain.
Par l'art premier, profond comme un chant liturgique,
Par le geste d'accueil que faisait l'hôte antique,
Par le creux de son lit et l'offre de son vin,
Je n'abjurerai pas la croyance organique.

Je bâtirai tout seul le temple sans colonnes,
Je ferai la muraille avec mes souvenirs,
Sculpterai le portail de l'espoir qui pardonne,
Je creuserai la voûte avec l'âme à venir,
Je l'illuminerai des cierges du désir
Pour placer sous la dalle où ne viendra personne
L'invisible trésor qui ne doit pas périr.

VIEILLESSE

Tel je serai. Dans un vieux corps une jeune âme,
Dans un visage replâtré des yeux repeints.
Car j'aurai jusqu'au bout le besoin de la femme,
Elle fut mon alcool, mon tabac et mon pain...

J'userai du crayon, du fard, du cosmétique,
Ma peau ruissellera de rouge délayé
Et je m'effondrerai dans les boudoirs antiques,
Cherchant les frissons morts, les parfums oubliés.

Éblouissant de bleu, de kohl, de calamistre,
J'irai comme un tableau peint sur du parchemin.
Chacun contemplera sur ce vainqueur sinistre
Les poches de mes yeux et les nœuds de mes mains.

Je serai l'automate à ressorts, au teint jaune,
Le mannequin vivant, le maigre épouvantail

Et l'on chuchotera les surnoms qu'on me donne:
Le cadavre au bouquet, le spectre à l'éventail.

Je serai la ruine en parfums que délabre
Le poison de l'acide et le suc de l'onguent,
Le galantin fardé, le cavalier macabre
Qui se cambre et sourit dans un bruit d'ossements.

—O pouvoir qui détruis et fais naître, ô nature!
Fais-moi mourir avec des cheveux et des dents,
Des possibilités d'amour sur ma figure
Et des lèvres pouvant embrasser en mordant...

Fais-moi mourir ce soir si la moindre faiblesse
Dans mon sang et mes nerfs doit se faire sentir,
Drapé dans ce soleil couchant de ma jeunesse
Qui me donne un regain plus puissant de désir!

LE NOUVEL ORPHELINAT

Nous n'avions ni bâton, ni coiffe, ni bouteille...
Par les trous de la robe on voyait notre corps.
Nous courûmes longtemps sur des routes vermeilles
Et pour nous voir passer se soulevaient les morts...

Nous ne comprenions pas pourquoi la maison blanche,
Le dortoir peint de chaux, les longs couloirs dallés,
Et la chapelle avec les cloches du dimanche
Et le cloître et la cour, tout s'était écroulé.

Des hommes qu'on croisait nous disaient: Fuyez vite!
Dans un canal tomba la plus grande de nous.
Nous avions faim, nos pieds saignaient, la plus petite
Se coucha pour mourir sur un tas de cailloux.

Un air de flamme avait brûlé les fruits des haies.
Nous ne pouvions dormir, la nuit, sur les talus.
Le mal était si grand que les cœurs se fermaient...
Le mal était si grand que Christ n'entendait plus...

Et bien plus tard, sous une lanterne, une dame,
Comme nous traversions un faubourg, eut pitié.

Elle nous dit: entrez... Nous avons dit: madame...
Il y avait tant de lits que nous avons pleuré.

Elle nous a donné des robes colorées,
Un salon merveilleux avec un piano,
Elle a lavé nos mains tendres et déchirées
Elle nous a donné du vin et des anneaux...

Elle a peigné nos chevelures défleuries,
Fait plus souples nos corps et nos yeux plus hardis.
Et nous avons pensé: C'est la Vierge Marie
Qui nous ouvre, ce soir, un coin du paradis.

Et c'est depuis ce temps qu'à des soldats, nos frères,
Nous nous donnons avec des rires et des chants.
Le parfum du tabac est moins lourd que l'encens
Et le baiser de l'homme est le plus grand mystère.

Jésus nous a conduit dans ce lieu: Hosannah!
Avec le même cœur nous vivons pour sa gloire.
C'est un autre dortoir, un autre réfectoire:
Nous avons simplement changé d'orphelinat...

L'AMITIÉ DES FEMMES

Je descendrai le fleuve au son des instruments
Sans voir les caïmans et les hippopotames,
Les marais vénéneux où rôdent les flamants,
Sur ce bateau de fleurs qu'est l'amitié des femmes.

Je ne m'entretiendrai que de subtilités,
Aspirant les fraîcheurs sous le mât qui s'allonge
Et, nourri de sorbets et de vapeurs de thé,
Les bambous bruissant me donneront des songes.

La lanterne du pont sera de papier peint
Et ne reflétera qu'une clarté trop vague,
Pour qu'on voit la tribu se partager le pain
Et la pirogue et son rameur aux mains sans bagues.

Le lit sera suave et les manceniliers
Rouleront leurs parfums sous la tente de soie.

Je poserai mon front sur des seins familiers,
Me plongerai parmi des cheveux qui châtoient.

Et quand j'arriverai dans l'éternelle mer,
J'aurai pour affronter le sel et la bruine,
Sous la lune trop vive et le vent trop amer,
L'éventail, le sachet, la rose et les pralines...

LE PLAISIR

O danseur, aux doigts longs, aux yeux peints, aux bas roses,
Dont les reins sont creusés, le torse languissant,
Avec le tambourin, le citron et la rose,
T'en vas-tu chez la vierge ou chez l'adolescent?

Je te suis à travers les lumières tremblantes
De la rue et tu mets sur un portail fermé
Le contour imprécis d'une femme charmante
Qui tend en souriant son manchon parfumé.

Je monte un escalier sur tes pas. Tu t'arrêtes,
Oh! l'intime chaleur de cet appartement!
Le coussin à trois fleurs, la lampe violette,
L'éventail cramoisi, la femme au diamant!

Mais toujours, compagnon léger, tu te dérobes.
Près du souper servi, s'accoude un beau bras d'or.
Avant que le vin coule ou que s'ouvre la robe,
Je t'entends fuir parmi le froid du corridor.

Danseur enfant, danseur fardé aux mains perverses,
La chambre ici sent le tabac et le charbon...
Dans tous les bras tendus vers toi, tu te renverses,
Tous les cœurs te sont chauds, tous les seins te sont bons.

Tu cours les carnavals tenant au bras les masques,
Étreignant leurs brocarts, leurs armes, leurs sequins
Et le prisme tournant de ton plaisir fantasque
A plus de feux que l'arc-en-ciel des arlequins.

Sur le seuil des villas parfois tu te reposes,
Les grands magnolias t'abritent un instant,

Avant qu'on t'ait porté le sorbet et la rose
Tu repars, ô subtil, délicat, inconstant!...

Tu voles un baiser sous un pilier d'église,
Tu mens avec amour au confessionnal...
Vers quel jardin fermé, quelle terre promise
Cours-tu pour boire aux fruits le lait verdi du mal?

Qu'espères-tu du soir, danseur aux jambes fines,
De la chaleur des lits que tu ne connais pas,
Du damas sous les fleurs ruisselant d'étamines,
Vers quels miracles d'yeux vas-tu rêver là-bas?

Ah! Comme j'ai souffert d'avoir voulu te suivre,
D'avoir pris pour ami, pour compagnon du soir
Un danseur équivoque, un adolescent ivre
Dont les yeux d'un bleu pur parfois deviennent noirs.

Pour toi, pour la beauté que ta forme révèle
Je n'ai pas voulu voir ceux qui tendaient les bras,
J'ai négligé les bons, oublié les fidèles,
Tu m'as fait plus ingrat encor que les ingrats.

J'ai bu le vin qui fait que l'âme devient folle,
J'ai joué mon bonheur sur un seul coup de dés,
Pour tourner un instant avec ta farandole
Pour respirer l'odeur de ton mouchoir brodé.

Pour toi j'ai tout laissé, l'étude, la tendresse;
J'ai cherché mes amis dans un monde vénal;
Je me suis dépouillé de toute ma richesse;
J'ai déchu volontiers, même j'ai fait du mal.

J'ai vieilli, j'ai cassé mes dents en voulant mordre;
Mes yeux se sont brûlés en pleurant de dégoût;
Mes traits se sont creusés des tares du désordre;
Sur la croix du désir on m'a percé de clous.

Mais tu m'as fui. Jamais ma soif n'a pu s'éteindre
Et mes sens ont toujours brûlé, te désirant;
Je n'ai jamais saisi quand je voulais t'étreindre
Que le reflet du vide et l'ombre du néant.

Et pourtant, quel que soit le mensonge et la chute,
Plaisir, quelle que soit la tristesse du joug,
Je n'abdiquerai pas la gloire de la lutte,
J'irai derrière toi, même sur les genoux.

J'userai ma puissance et mes dernières fièvres
Sous les derniers reflets qui tombent du flambeau
Pour atteindre le fard vénéneux de tes lèvres,
O subtil, ô pervers, par qui le monde est beau!

LE PAUVRE PÊCHEUR

Près du quai désert, près du pont qui s'arque,
Près de l'hôpital, près de l'entrepôt.
Moi, pauvre pêcheur assis dans ma barque,
Avec mon filet, avec mon falot.
J'ai vu des reflets qui sortaient de l'eau
Et sur les galets qui faisaient des marques,
De rouges reflets qui tachaient ma barque.

Le fleuve fécond, le fleuve puissant,
Avec son limon engraissant la terre,
Passant éternel, ami millénaire
Qui protège l'homme en le nourrissant,
Le bon fleuve bleu qui baigne les pierres
De son frôlement régulier, puissant.
Le fleuve au grand cœur charriait du sang.

J'ai pris le falot, j'ai lâché la rame,
Je me suis penché sur le flot sanglant,
Des caillots épais coulaient dans les lames
Et l'air peu à peu devenait brûlant.
L'écume rougeâtre ainsi qu'une flamme,
Me chauffait la face en m'éclaboussant,
La barque roulait sur le flot sanglant...

Et j'ai vu passer de terribles formes...
Des membres coupés heurtèrent mon bord,
Je vis de longs bras, des visages morts
Et, gonflés par l'eau, des ventres énormes.
Et de glauques yeux aux lobes informes

Me fixaient, chargés d'un affreux remords...
Le fleuve sanglant charriait des morts.

Et je vis aussi des formes étreintes
Avec cet amour que la mort raidit.
Je vis passer ceux qui portaient l'empreinte
De l'espoir déçu, du mal, de la crainte.
Je vis les vaincus, je vis les maudits,
J'entendis monter une grande plainte
Et par la pitié mon cœur se fendit.

Le fleuve croissait, atteignait la ville
Et le flot de sang grossissait toujours.
Il battait les murs, il battait les tours,
Du vieux pont arqué dépassait les piles,
Enlaçait l'église et le carrefour
Et le quartier haut n'était plus qu'une île.
Parmi les noyés je voguais toujours...

Sur la terre au loin qu'ont donc fait les hommes?
Ai-je atteint ce soir le rouge royaume?
Je sens se dresser les poils de ma chair.
Des crânes sans yeux entonnent des psaumes.
J'entends m'appeler l'ange Lucifer...
Moi, pauvre pêcheur allant vers la mer,
Puis-je racheter ce qu'ont fait les hommes?...

Sur un Golgotha mille fois plus haut,
Une croix de soufre et des clous de flamme!...
Apportez la lance avec le marteau!
Que je sois cloué mille fois s'il faut!
Je veux racheter, moi, l'homme à la rame,
Les corps malheureux et les pauvres âmes
Sur un Golgotha mille fois plus haut.

Je travaillerai durant mille siècles,
Les humbles paieront la dette de sang,
Je ferai sortir les blés et les seigles
Du sol envahi par les ossements,
Je travaillerai si terriblement
Que, plus haut encor que le vol des aigles,
Jailliront les tours de mes monuments.

O grand fleuve bleu qui viens des montagnes,
Tu recouleras aussi pur qu'avant,
Ensemencé d'herbe, imprégné de vent.
Tu mettras ta force au cœur des campagnes
Et dans le bateau du pêcheur errant,
Et tu changeras les morts en vivants,
O grand fleuve bleu qui viens des montagnes...

LE CHATEAU DES MASQUES

Les sept rois noirs masqués vivaient dans le palais
Au milieu des danseurs, des nains, des bayadères,
Derrière des remparts sculptés, de bronze épais,
Et le soir ils dormaient dans sept chambres de pierre.

Chacun devait porter un masque devant eux...
Ceux des nains étaient bleus et ceux des femmes roses.
Certains étaient charmants, d'autres étaient affreux
Et certains imitaient la coquille ou la rose.

Les gardes laissaient voir des dents couleur de feu
Et des barbes de sang sous la boucle des casques.
Des figures de cire étaient presque sans yeux
Et des yeux verts gemmaient la pourpre d'autres masques.

Et le palais couleur de rubis ruisselait
Des trésors amassés par les guerres des hommes,
Mais les masques toujours devaient cacher leurs traits
Que ce soit dans les bals, les festins ou les sommes.

Car il ne fallait pas que le prince enfantin
Sous son corselet d'or et son masque de soie
Dans les blancs escaliers croise un visage humain,
Voie aux lampes safran la tristesse ou la joie.

En vain il épiait les joueurs d'instruments
Et les nègres avec leurs cimeterres courbes,
Ou sous les longs jets d'eau les femmes se baignant...
Les corps nus même au bain gardaient les masques fourbes.

Mais un soir une vierge en peignant ses cheveux,
Peut-être exprès fit choir le loup de sa figure

Et le prince un instant vit de loin de grands yeux,
L'ovale délicat d'une chose très pure.

Le châtiment eut lieu dans la plus grande cour.
La jeune fille fut par sept fois flagellée.
On scella sur son crâne un masque de plomb lourd
Avec deux trous sanglants, les prunelles crevées.

Depuis le petit prince entendit, certains soirs,
Courir des pas muets dans le palais splendide.
Il fut souvent suivi de couloir en couloir
Par cette tête en plomb avec ses deux trous vides.

Était-ce la laideur, était-ce le remords
Qui lui cachaient la vie, ou bien des choses pires?...
Ah! pouvoir une fois ôter les crochets d'or
Des fronts vermillonnés et des mentons de cire.

Mais une nuit, hanté par l'espoir et l'effroi,
Seul vivant éveillé parmi les ombres mortes,
Des chambres où dormaient ses parents, les sept rois,
Lui le prince malade alla tâter les portes.

Il entra, grelottant de peur, mais voulant voir.
Les sept rois reposaient entre les murs de pierre,
Ils avaient pour dormir gardé leur masque noir...
Les chandeliers jetaient de tremblantes lumières...

Il se pencha sur eux, écartant doucement
Le métal qui cachait la face de ses pères.
Il vit sous chaque masque, immobile et dormant
Une tête de mort sans lèvres ni paupières...

Alors, il s'en alla sur la pointe des pieds,
Il gravit l'escalier, atteignit la terrasse,
Leva ses petits bras ainsi que pour prier
Disant: «Est-ce mon sang, Seigneur, est-ce ma race?

«Je sais pourquoi mes os deviennent plus saillants,
Je sais pourquoi mes mains se durcissent aux paumes,
Mon front qui s'ossifie a des yeux moins brillants...
Que je voudrais avoir un vrai visage d'homme...»

Du palais dont les murs n'avaient pas de miroir
Il franchit les remparts de bronze. A son passage
Les gardiens sur le seuil hochèrent pour le voir
La laque affreusement luisante des visages.

La ville des mendiants grouillait non loin de là
Avec ses toits tassés et ses balcons difformes,
Et l'aurore en naissant baignait d'un vague éclat
La petite cité sous le palais énorme.

Il arracha la soie attachée à son front
Et se pencha sur l'eau verdâtre d'une mare.
Alors il vit très loin dans la vase et les joncs
Une triste momie, une larve bizarre.

Quand le soleil parut et que sur le chemin
Des enfants en haillons, des femmes apparurent,
Il connut les cheveux, les lèvres de carmin,
Le riche mouvement du sang des créatures.

Mais il ne comprit pas la couleur de la chair,
Le charme rayonnant émané des figures...
«Quoi! la terre, dit-il, produit ces êtres clairs...
Les masques sont plus beaux que ces caricatures.

«Les sept rois effrayants ont des têtes de morts
Mais le peuple a pour moi des faces trop vivantes.
Je suis l'enfant déjà séché, marqué du sort,
Le squelette futur des royautés sanglantes.»

Il revint à pas lents au palais sans miroir...
Les gardes agitaient au vent leurs barbes peintes.
Les sept rois l'attendaient avec leur masque noir
Et de leurs sept mains d'os il sentit les étreintes.

Les salles rayonnaient sous les lampes de safran,
Les danseuses tournaient dans des robes splendides
Et les bouffons avaient un rire déchirant...
Seul un masque de plomb pleurait de ses yeux vides...

LA FILLE DE LUCIFER

J'aime Sabbahalla, fille de Lucifer,
La même qui jadis près d'un lac de Syrie,
Riait aux chameliers qui venaient du désert
Et leur montrait sa peau par la flamme fleurie.

Elle avait eu pour mère une chèvre aux poils blancs.
Elle rendait dément par un reflet de bague
Et tuait les enfants en les écartelant.
Ses reins étaient creusés et ses veux longs et vagues.

D'impudiques démons aux visages bronzés
L'aidaient à torturer le soir des jeunes filles.
Quand un adolescent buvait à son baiser,
Elle lui traversait le cerveau d'une aiguille.

Elle vint une fois dans mon appartement
Avec ses bijoux verts, en robe de soirée.
Elle avait sur l'épaule une goutte de sang
Et le sable du lac dans sa jupe dorée.

Elle ôta ses gants blancs d'un geste familier
Et tout en fredonnant une valse tzigane,
Elle défit sa robe et jeta ses souliers
Et je vis dans ses yeux l'ombre des caravanes.

Depuis elle sommeille et fume et me sourit,
Étendue à demi sur le tapis orange.
Elle prend le plaisir de l'amour par l'esprit,
Non par les sens, et sait des caresses étranges.

Chez moi, certaines nuits entrent ses compagnons.
Ils passent par les murs comme par des nuages.
Elle les fait asseoir, elle me dit leur nom:
«Voici Samaël blanc avec ses deux visages.

«Celui-ci c'est Enoch, l'ange à l'esprit borné,
Le stupide, au front dur, à la mâchoire d'âne,
Voici Mammon déformateur des nouveau-nés,
Voici l'incestueux père des courtisanes...

«Voici l'ange sans sexe au visage fardé
Avec des jambes d'homme et des hanches de femme,
Et voici le démon animal, possédé
Par la bête qui hurle, aboie, glapit et brame.

«Ce cornu, c'est Emin, l'orgueilleux, le paré,
Au ventre énorme, lourd de saphirs et d'opales,
Et ce fourchu, c'est Astaroth, le désiré
Pour ses membres velus et sa puissance mâle.

«Voici le paresseux, amant des lits profonds,
Celui qui se souvient des sabbats priapiques,
Des crapauds baptisés en des rites bouffons
Et du grand bouc royal dans les nuits impudiques.

«Voici le tentateur au bouquet, l'ingénu,
Bélial dont la bouche est faite de babines
Et celui qui ressemble à quelque arbre chenu
Et dont les pieds au sol tiennent par des racines.

«De sa gorge, ce ténébreux crache la nuit
Et ce blême verse la peur et le silence.
Le triste qui se tait et qui pense est celui
Qui mangea les fruits noirs de l'arbre de science...»

C'était un grouillement de faces, de contours,
Qui semblaient tout d'abord effrayants. L'épouvante
Me faisait des os grelottants, un crâne lourd,
Mais je vis derrière eux deux formes étonnantes.

Une clarté venant de ces formes, montrait
Des fiertés sans espoir, des grandeurs imprévues.
Des visages affreux masquaient de beaux secrets,
Reflétaient des douleurs humaines jamais vues.

Le démon qui parlait par des cris d'animaux
Avait dans ses appels la misère des bêtes.
Les souffrances naissant de la haine et des maux
Sortaient des corps velus et des grosseurs des têtes.

La splendeur du désir harmonisait les dos
Des accouplés, de ceux que brûlaient les luxures.

La pitié, la beauté baignaient les infernaux,
Les révoltés, toutes les pauvres créatures.

—Brune Sabbahalla, fille de Lucifer,
Je t'aime pour les nuits sur le tapis orange,
Pour ton baiser sans flamme et pourtant si pervers
Et l'immortel désir de tes frères, les Anges...

Je sais qu'auprès de toi ma raison tremble et dort,
Mais tu m'as pris la main et tu m'as fait descendre
Au pays souterrain où sont les fleuves morts
Et les plus beaux palais qui sont bâtis de cendres...

Je sais qu'auprès de toi je risque d'être impur,
Mais, dans tes bras couché, j'ai compris le mystère.
Je sais combien on est aveuglé par l'azur
Et qu'il faut par en bas regarder cette terre.

Alors, on lit enfin les antiques secrets
Sur le revers obscur de la médaille humaine,
Pour la première fois les yeux voient le ciel vrai
Où tourne un seul soleil, fait d'amour et de haine.

LA MALÉDICTION

La ville dormira comme à son ordinaire
Et parmi les quartiers rien ne fera prévoir
Que le signe fatal a paru sur la terre,
Sauf la lune montant, verdâtre, dans le soir...

Les marchands gravement fermeront leur boutique,
Des femmes en marchant feront saillir leurs seins,
Dans les cafés mourront doucement les musiques,
Les bons et les mauvais iront vers leur destin...

Et ce sera d'abord une bizarre empreinte
Sur un mur et dont nul ne comprendra le sens,
Un feu jaune éclairant une vitrine éteinte,
Un trottoir sans raison maculé par du sang...

Puis, devant une église, un prêtre voulant faire
Le signe de la croix et se touchant le front,

Retirera son doigt mouillé par un ulcère...
Toutes seules alors les cloches sonneront...

Des lézardes soudain partageront les rues.
Un homme passera jouant du violon.
Derrière les carreaux, les têtes apparues
Porteront des grosseurs, des déformations...

Un vieil hôtel tordra sa porte comme un membre
Et dans la cour allongera son escalier.
Deux amants paraissant sur le seuil de leur chambre
Se verront des sabots de chevaux à leurs pieds.

Et d'autres se plieront comme des acrobates,
Auront l'air de passer à travers des cerceaux.
Ils aboieront comme des chiens à quatre pattes,
Se rouleront comme des vers dans les ruisseaux.

Des musiciens bouffons marcheront en cortège.
Leurs instruments ne feront qu'un avec leur corps.
Les lèvres en piston cracheront les arpèges
Et les tambours seront des peaux de ventres morts,
Des nonnes, d'un couvent sortiront demi-nues;
Des poils drus sur leur corps se mettront à pousser;
Des mufles remplaçant leurs faces ingénues,
Aux bassins des jardins elles iront lamper.

Les rires casseront les dents comme du verre,
Les larmes brûleront comme du vitriol,
Les yeux dans un bruit mou tomberont des paupières,
Des goitres monstrueux traîneront sur le sol.

Les monuments vivront et vibreront de râles,
Ils se pénétreront entre eux avec fureur.
Les piliers fouilleront au fond des cathédrales,
Le ventre de la voûte et le sexe du chœur.

Des casernes éclateront comme des bulles.
On entendra craquer les échines des ponts.
Les usines perdront par d'énormes fistules
L'amas liquéfié de leurs productions.

L'air s'empoisonnera de mille pourritures.
Des gaz exploseront au-dessus des charniers.
Les eaux de la rivière auront des boursouflures,
S'épaissiront, seront un afflux de fumier.

Puis la ville, séchant comme une chrysalide
Périra d'une étrange ossification,
Les fenêtres seront de grands orbites vides
Dans les têtes de mort branlantes des maisons.

Les clochers auront l'air de fémurs fantastiques,
Les tours, de tibias déformés et géants.
Sur l'immense squelette aux vertèbres de briques,
Les soirs épais mettront le souffle du néant.

Et dix mille ans après, venus des antipodes,
Deux enfants nus s'assiéront là, feront du feu
Dans les amas ensevelis où le vent rôde...
Ils auront la cité maudite au fond des yeux.

Et ne comprenant pas la chute et le mystère,
Ils riront et se montreront avec la main
Des rats géants, de loin, dans les couloirs des pierres,
Qui, tristes, les suivront avec des yeux humains.

LE VOYAGE FANTASTIQUE

LA DIVINE ENCHAINÉE

Je traversai, conduit par l'homme au capuchon,
Les quartiers où l'on vend le fer et les chiffons.
Ensuite les maisons étaient noires et basses.
On percevait des grouillements dans les impasses,
On voyait à des soupiraux des yeux hagards.
Et j'atteignis enfin près des anciens remparts
Le quartier des déchus et des êtres sordides...
Je suivis l'homme au fond d'une boutique vide.
Et là sur le plancher pourri, je vis le corps
D'une beauté parfaite avec une peau d'or,
Un visage divin, des jambes translucides.
Une chaîne de fer tenait le cou splendide
Et l'homme qui riait prit un bâton pointu
Et se mit à piquer le sein, le ventre nu.
Faisant en gémissant se tordre la divine.
Et des êtres aux corps ravagés de famine,
Des visages affreux où ne vivait qu'un œil,
Des nains, des déformés ricanaient sur le seuil...
Comme son capuchon lui découvrait la tête,
Je vis que l'homme avait la face de la Bête...

LA VALLÉE DES LARVES

Les monstres vagissants enfantés par la femme
Étaient amoncelés sur les rochers crayeux...
Certains ouvraient des yeux énormes et sans flammes,
De frêles cous pliaient sous des crânes laiteux.

Et d'autres éclataient de sang pâle et de glaire,
Riaient avec un rire édenté de vieillard.
Des corps mous et bouffis sortaient du sol calcaire,
Semblaient en s'étalant de vivants nénufars.

Un vent froid remuait ce peuple en cartilages,
Ces larves sans contour, ces germes suintants
Et la vallée avec ces blanchâtres visages
Ressemblait la sanie et le pus du printemps.

La Parque descendait près de moi la colline.
Elle était belle et triste en le déclin du jour
Et vers le sol vivant courbant sa grande échine
Elle touchait du doigt les monstres tour à tour.

Et tout le mal inscrit au livre des ténèbres
Pénétrait ces cerveaux corrompus en naissant,
Il dessinait les traits, durcissait les vertèbres,
S'infiltrait dans leurs nerfs et coulait dans leur sang.

De sorte que ces crânes mous en apparence
Renfermaient cependant la pierre de l'orgueil,
La colère de marbre et les fureurs immenses
Qui devaient déchaîner les douleurs et les deuils.

Les visages réduits prenaient des bouffissures
De haine, devenaient tout à coup malfaisants.
Ces fœtus irrités dans des caricatures
De combats, essayaient leurs gencives sans dents.

Ils se dressaient grotesquement sur les chevilles
Et tentaient de leurs mains sans ongles de frapper,
Ou rampant sur le ventre ainsi que des chenilles
Ils se pressaient avec effort pour s'étouffer.

Mais la Parque toujours touchait les petits êtres
Et tranquille marchait vers le soleil couchant
Et toujours par milliers ceux qui venaient de naître
Affluaient à ses pieds comme l'herbe des champs.

Et je lui dis: «Ceci n'est qu'ortie et qu'ivraie:
Dans cet endroit maudit pourquoi porter tes pas
Puisque l'enfance humaine est une grande plaie
Qui coule et s'agrandit et ne guérira pas?»

Et la déesse alors au fond de la vallée
S'arrêtant, me montra dans un entassement
Effroyable, au milieu des formes emmêlées,
Un visage, rien qu'un, mais sensible et charmant...

Et le soleil mourant sur cette maladie
De la terre éclaira dans l'humus qui poussait

Un œil déjà bleuté par la naissante vie,
Un tremblotant éclat d'âme qui paraissait.

Et la Parque me dit: «Tout le mal de la terre
Est payé par un seul, s'il est vraiment humain.»
Et je la vis partir tranquille et solitaire
Parmi le flot montant des monstres enfantins.

LA RÉGION DES ÉTANGS

J'atteignis vers le soir la plaine des étangs.
Un vent glacé soufflait parmi les vastitudes,
Mes pieds s'enchevêtraient aux herbages flottants.
J'allais vite et j'étais ivre de solitude.

De longs roseaux vivants cherchaient à me saisir.
Des plantes se collaient avec leurs fleurs gluantes.
Vers moi de toutes parts comme un vaste soupir
Montait la fade odeur des choses croupissantes.

Un souffle gras sortait de ces stagnations,
Une buée épaisse, animée, une haleine
Qui semblait le ferment des putréfactions
Millénaires, dormant sous ces mares malsaines.

Et j'entendis, venant d'en bas, parler la voix
Et je vis émerger la face aux gros yeux glauques:
«L'escalier spongieux, dit-elle, est près de toi.
Descends parmi la vase et les eaux équivoques.

«Viens dormir avec nous au fond des lits tourbeux
Dans l'émanation des poisons délétères.
Viens rejoindre ce soir les hommes sans cheveux
Qui sont jusqu'à mi-corps enfoncés dans la terre.

«Avec les serpents d'eaux, les vers et les têtards
Tu joueras dans les végétaux des marécages,
Oubliant parmi les parfums des nénufars
Qu'il est un ciel immense où passent les nuages.

«Tu nous seras pareil, sans espoir, sans amour,
Tu connaîtras, vautré dans la vase éternelle,

Le bonheur de l'aveugle et l'ivresse du sourd
Et tu ne sauras plus les choses qui sont belles.»

Alors je vis des bras tendus pour me saisir
Et des milliers de blancs visages apathiques.
Et le peuple de ceux qui n'ont plus de désir
Sortait de l'eau couvert de plantes aquatiques.

Et j'avais déjà mis le pied sur l'escalier
Qui plongeait en tournant dans une boue épaisse,
Je voyais des palais informes, des piliers
Parmi les joncs sans sève et les herbes sans sexe,

Lorsqu'un grand vent passant à travers les marais
Me souffla des odeurs de forêts aux narines
Et je m'enfuis vers l'horizon où je voyais
Des sapins s'accrochant au ciel sur des collines...

LES ESCLAVES

Je les voyais marcher, enchaînés, deux par deux,
S'arrêtant quelquefois pour manger des écorces.
Alors, un cavalier courait à côté d'eux
Et d'un grand coup de fouet leur déchirait le torse.

Ils étaient las, pelés, exsangues et spectraux.
Les femmes les suivaient, à des bêtes semblables.
Comme un long bêlement humain et lamentable,
Une plainte montait de ce triste troupeau.

Les enfants suspendus aux mamelles taries
De leurs mères, tombaient au milieu des cailloux
Et les gardiens, riant de leur propre furie,
Les traversaient avec leur lance d'un seul coup.

Et quand le lieu devint comme un chaos de laves
Et de rocs, où croissaient quelques palmiers roussis,
L'homme au turban rayé, le conducteur d'esclaves
Arrêta le cortège et cria: «C'est ici.

«Vous ne sortirez plus de cet enfer calcaire.
Le ciel vous roulera ses simouns sablonneux.

Vous n'aurez pour boisson que les sucs de la pierre,
D'implacables soleils vous brûleront les yeux.

«Vous vous dessécherez comme des chrysalides.
L'éternel manque d'eau vous plissera le corps.
Vous ne verrez passer dans les azurs torrides
Que les corbeaux venant pour dévorer les morts.

«Nous placerons sur vos échines excédées
Des fardeaux écrasants, des blocs cyclopéens.
Et vos filles seront devant vous possédées,
Serviront de jouet lubrique à vos gardiens.»

Et moi sur la hauteur d'où je voyais la scène
Je criai: «Vous seriez, esclaves, les vainqueurs.
Que ne lapidez-vous ces tourmenteurs obscènes?
Faites-leur expier votre sang et vos pleurs.»

Et le maître éclata de rire. Les esclaves
A quatre pattes accouraient baiser ses pieds.
Et lui négligemment parmi ces faces hâves
Promenait comme un soc ses éperons d'acier.

Et le vent, agitant les palmiers squelettiques,
Soulevait par moments son burnous de couleur,
Le faisait ressembler sur le soir désertique
A quelque grand oiseau de proie et de malheur.

LE PALAIS DES ROIS

Le seuil de cuivre feu avait cent trente marches
Et dix mille guerriers levaient leurs sabres plats.
La porte était immense et s'ouvrait comme une arche
Et les rois revêtus d'or safran étaient là.

Des chœurs retentissaient comme pour des obsèques,
Les bannières claquant comme des oiseaux fous,
On voyait flamboyer les mitres des évêques
Et les juges avaient des visages de loups.

Et derrière ondulaient sous la géante abside
Des rivières de cavaliers aux flots profonds.

Des rayons s'échappaient des armures splendides,
Les cuirasses luisaient sur les caparaçons.

Et les clefs et les sceaux et les mains de justice
Damasquinés de talismans et de bijoux,
Reposaient sur la pourpre à côté des calices
Portés par des hérauts chevelus, à genoux.

Et les chevaux piaffaient sur l'or des mosaïques
Et devant la splendeur d'un si grand appareil
Les pauvres un à un venaient, microscopiques,
Jusqu'au palais de feu beau comme le soleil.

Et les bourreaux joyeux avec leurs longues armes
Coupaient les têtes à grands coups sur l'escalier,
Et les rois quelquefois s'esclaffaient jusqu'aux larmes
Et les rires faisaient cogner les cavaliers.

Les membres confondus et les têtes coupées
Élevaient jusqu'au ciel leur amoncellement,
Les évêques parfois avec leurs mains trempées
D'eau bénite, aspergeaient le monceau gravement.

Et mon cœur soulevait mon étroite poitrine
De terreur en marchant vers le seuil à mon tour,
Je me sentais devant ces puissances divines
Plus frêle qu'un oiseau, moins qu'une plume lourd.

Devant les cavaliers et les rois formidables,
Les juges monstrueux et les bourreaux géants,
Je n'étais, moi porteur d'une âme pitoyable,
Que fragment de poussière et reflet de néant.

Je ramassai pourtant un caillou, ma sagesse
M'enseignant de lutter jusqu'au dernier moment,
Et je le lançai loin, de toute ma faiblesse,
Vers le palais des rois recouvert d'ornement.

Et voilà que soudain du monument de gloire
Il ne resta plus rien au choc de mon caillou
Qu'un coin de chapiteau, que l'os d'une mâchoire,
Qu'une mitre d'évêque avec tous ses bijoux.

Et j'ai craché sur ces débris et ces poussières
Et j'ai d'un coup de pied lancé la mitre aux cieux,
Car l'homme pauvre et seul et qui porte une pierre
Est plus fort que les rois et plus puissant que Dieu.

L'INVASION DES INSECTES

J'arrivai dans la ville où régnait la paresse...
D'étonnantes chaleurs tombèrent des cieux lourds.
Le soleil sur le port fit vautrer les pauvresses.
On ne versa plus d'eau sur les dalles des cours.

Les végétations brusquement se séchèrent.
Les bouches des égouts empoisonnèrent l'air.
Les femmes dans les lits parfumés s'enfoncèrent
Sous la possession des forces de la chair.

Elles n'allèrent plus dans le quartier des bouges
Offrant leurs peignoirs de couleurs et leurs bas bleus,
Mais elles étalaient par terre leur corps rouge
Qu'humectait le désir et que gonflait le feu.

Et ce fut tout à coup une étrange naissance
D'insectes, dans le linge et les bois pourrissant,
Mille pullulements d'une vermine immense,
La vaste éclosion d'êtres buveurs de sang.

Les dormeurs épuisés eurent au crépuscule
Le grouillement d'un peuple gris parmi leurs draps.
On entendit le crissement des mandibules
Qui hérissaient les poils, pliaient les cheveux gras.

Des suçoirs aspiraient dans les poches rougeâtres
Le suc des hommes las qui ne résistaient plus.
Quelques-uns essayaient en vain de se débattre,
Les insectes sur eux montaient ainsi qu'un flux.

Les élytres vibraient dans les barbes vivantes,
Les œufs multipliés éclataient sur les corps.
Les dards aigus vrillaient les prunelles démentes
Et les germes actifs remuaient dans les morts.

Toute la ville fut pompée et dévorée...
Des hommes en fuyant coururent dans la mer.
Alors, un remuement obscur, une marée
De vase, les rendit à l'océan des vers.

Cela n'avait été prédit par nul prophète...
Les soleils infernaux ne se couchèrent pas...
Tout se passa sans cri, sans tocsins et sans glas...
Le peuple en ce temps-là fut mangé par les bêtes...

L'ÊTRE MAIGRE AUX MAINS IMMENSES

Et j'ai vu l'être maigre avec des mains immenses.
Il était recouvert d'écailles de poisson,
Il était étendu dans le sable d'une anse
Et le trou d'un rocher lui servait de maison.

Il m'a dit: Vois mon corps qu'un mal affreux dévaste.
Mon cœur atrophié ne bat plus sous mon sein.
Si mes mains à ce point sont ouvertes et vastes
C'est qu'un siècle durant je les tendis en vain.

Si mes yeux sont couverts d'une peau membraneuse
C'est que j'ai répandu des milliers de pleurs.
J'écoute la marée, éternelle berceuse,
Refrain toujours nouveau de la vieille douleur.

Elle vient vers celui qui n'a pas vu sur terre
La face du pardon et du soulagement,
Elle connaît le mal, son sens et son mystère
Et monte comme lui quotidiennement.

Et j'entends dans sa voix la voix des mauvais hommes,
De ceux que si longtemps jadis j'ai suppliés.
A présent le sel pur et les algues m'embaument...
Malheur, malheur à ceux qui n'ont pas eu pitié!...

Malheur aux durs, aux furieux, aux égoïstes,
A ceux qui font semblant d'être aveugles et sourds,
A ceux qui m'ont tendu le morceau de pain triste,
Malheur aux généreux qui donnaient sans amour.

J'ai trouvé près des mers ton sentier, solitude,
Bordé de corail rouge et de pétoncles clairs,
Et mon corps rabougri par les vicissitudes
Mange le coquillage et s'enivre de l'air.

Mais, ni mon lit marin rempli de zoophytes,
Les vents de l'au-delà lourds d'aromes puissants,
Ni ma grotte verdâtre avec ses stalactites,
Ni les soleils du soir me transfusant leur sang,
Ne pourront me donner l'aliment de mon âme,
Ce que j'ai désiré, espéré, mendié,
Le repos, la chaleur, le breuvage et la flamme...
—Malheur, malheur à ceux qui n'ont pas eu pitié!...

L'AGNEAU DÉSESPÉRÉ

L'agneau sur le rocher semblait un bloc de laine.
A côté les torrents descendaient vers les plaines
Et les forêts roulaient leurs vagues vers les monts.
Et je vis l'hippogriffe à tête de lion
Qui bondissait dans la lumière violette...
Et l'agneau se dressa, divin, devant la bête,
Il la prit par les reins, la tordit puissamment,
Puis, ayant labouré sa gorge avec ses dents,
Malgré la gueule en flamme et le dard de la queue,
Au loin la projeta dans un lac dont l'eau bleue
Éclaboussa d'azur les couloirs de rochers.
Mais quand l'agneau neigeux voulut se recoucher
Il tachait les cailloux de sa laine sanglante.
Il courut vainement parmi les jeunes plantes,
Les traces ne faisaient que s'étendre, le sang
Était sur lui plus clair et plus éblouissant.
Et dans le soir qui devenait couleur de soufre,
Je vis sur l'horizon, courant au bord des gouffres,
Franchissant les lacs morts et les puits de granit
Comme pour se baigner aux ondes de la nuit,
L'agneau rouge, l'agneau dément, l'agneau de flamme,
L'agneau désespéré par le sang, ô mon âme!

LA RENCONTRE DU SQUELETTE

Sous les figuiers géants, au fond de la vallée,
Parmi les flots de sable et les roches gelées,
Le puits me regardait, glauque et prodigieux,
Ainsi qu'un œil dans un visage de lépreux.
Sur l'antique margelle expirait le soir morne.
On était sous le signe froid du Capricorne.
Par des traces de pas j'avais été conduit
Et ces traces de pas s'arrêtaient à ce puits.
Et je savais qu'au loin mouraient les caravanes...
Il n'était ni fagot, ni vase, ni cabane,
Rien d'humain où mon âme aurait mis son espoir
Et je posai mon front sur la pierre pour voir...
Alors je vis sortir du puits un long squelette
Qui se tint devant moi, triste, branlant la tête
Et montrant ses os nus comme la vérité.
Il ressemblait un dieu du monde inhabité.
Des herbes lui faisaient une couronne noire,
Et voilà qu'une dent tomba de sa mâchoire,
Les phalanges se détachèrent de la main,
Le fémur se plia sous le poids du bassin,
Il se désagrégea, devint de la poussière...
Et l'ombre vint dans la montagne solitaire.
«Ah! que ne suis-je encor avec mes compagnons!
Quelqu'un m'appellerait peut-être par mon nom,
J'aurais un peu de vin au fond d'une outre, encore
De la chaleur sous un burnous multicolore...
Au moins je serais mort au chant des chameliers!»
La nuit morte gelait les branches des figuiers
Et je vis que la trace à peine saisissable
Des pas, allait plus loin dans la nuit, dans le sable...

LA MONTAGNE DES BÊTES

De partout, près de moi, sur les monts fabuleux,
Les loups pelés montaient par les rochers galeux.
Je voyais sur le bord des crânes plats et chauves
Bouger comme du sang la flamme des yeux fauves,
Je touchais les poils durs et les dents de métal,
Pesant la solitude et la peur et le mal
Et l'amour de la nuit qui possèdent les bêtes.
Sur un tronc dépouillé pleurait une chouette.

Près d'un trou d'eau verdi, dans le creux du ravin,
Un crapaud regardait avec ses yeux éteints.
Des scorpions tendaient le crochet de leur queue
Et des vers déroulaient leur dos d'écailles bleues.
Des milliers de fourmis sortaient des fourmilières.
Des vipères posaient leur front triangulaire
Sur mes pieds, des têtards dansaient dans mes cheveux
Et des germes sans forme éclataient hors des œufs.
«Je veux vivre avec vous, ô frères taciturnes,
Pleurer vos morts, compter vos naissances nocturnes,
Participer, moi, l'homme, à l'obscur idéal
Que verse la nature au cœur de l'animal.
Donnez-moi vos chaleurs, vos bontés et les lampes
De vos yeux, animaux, peuples de ceux qui rampent,
Car venant de plus loin, d'un plus triste chemin,
Vous voyez dans la nuit mieux que les yeux humains...
Vous êtes le sel noir mais de pure substance
Et la rédemption des choses, le silence
Qui doit parler et la beauté qui doit surgir.
Voici venir le temps, bêtes, de repartir.
Puisque l'homme a failli, vous êtes la jeunesse,
Il faut recommencer la course de l'espèce...»

LE NAGEUR

Pour aller jusqu'à l'île où sont les fleurs géantes
Et les cigognes d'or dans les arbustes nains,
Où les magnolias ont l'air d'adolescentes,
Où dans le port étroit dorment les brigantins,

J'ai nagé à travers les courants et les barres,
Enivré par l'écume et nourri par le sel;
L'épave m'a cogné, j'ai heurté des gabarres
Et vu les cachalots jouer dans l'archipel.

La mousse et le lichen m'ont couvert d'une robe,
Le crabe m'a mordu, l'espadon m'a piqué.
Suivi par les requins j'ai vu monter les aubes,
De nacre et de corail j'étais le soir casqué.

J'ai frôlé des pontons qui servaient à des bagnes
Et les forçats de loin m'ont lancé leur boulet.

J'ai troué des typhons hauts comme des montagnes
Et les vents furieux m'ont donné des soufflets.

Quand j'ai passé le long de leurs coques énormes
Les vaisseaux de haut bord ont tiré le canon.
Empoignant les cheveux d'herbages équivoques
J'ai saisi des noyés mangés par les poissons.

Je me suis débattu parmi les pieuvres bleues
Qui me fixaient avec mille yeux surnaturels,
Et les baleines du battement de leur queue
M'ont projeté dans leur jet d'eau plein d'arc-en-ciel.

Mais toujours je fendais allégrement la lame,
Sûr que je ne serais ni noyé, ni mangé,
Et porté sur les flots par la force de l'âme
L'infini de la mer me semblait sans danger.

Et lorsque j'émergeai couvert de coquillages
Et d'algues et pareil à quelque crustacé
Sur l'île merveilleuse et le divin rivage,
Mon corps marin par l'air terrestre fut glacé.

Et mes yeux n'avaient vu jamais de paysage
Plus désolé. Le sol était pauvre et crayeux.
Les grandes fleurs semblaient faites de cartilages
Et leur exhalaison était un souffle affreux.

Des squelettes de pélicans sur des eaux ternes
Claquaient du bec, non loin d'un cratère fumant.
Un soleil jaune ainsi qu'une horrible lanterne
Se balançait sur des collines d'ossements.

Alors j'ai dit: J'ai fui les grottes et les criques
Pour cela! Trahison de l'idéal humain!
J'aurais pu m'endormir sur les eaux magnétiques,
Chevaucher l'hippocampe ainsi qu'un roi marin.

Que le poulpe m'aspire et le crabe me ronge!
Je descends dans l'azur des abîmes profonds
Pour dormir à jamais dans un linceul d'éponges
Auprès de la méduse aveugle des bas-fonds...

LA DESCENTE AU PARADIS

LA DESCENTE AU PARADIS

Le lac miraculeux brillait dans les couloirs
De galets bleus et de rochers météoriques.
Des monts de fin du monde au loin fermaient le soir
Et je suis descendu dans l'abîme conique.

Des gerbes de mica jaillissaient par milliers,
Près de moi s'éployaient des arbres de porphyre,
Le soufre et le salpêtre humectaient l'escalier,
Je voyais aux parois des laves froides luire.

Et tout au fond du gouffre, au cœur des minéraux,
Parmi les champs de houille et les forêts de schiste,
Sous l'ardoise pareille à d'aveugles vitraux,
La porte d'or massif était splendide et triste.

Elle tourna pour moi silencieusement.
Je me remémorai le regard de ma mère.
Je vis les rochers noirs et leurs entassements
Et quittai le chaos fraternel de la terre.

—Que d'azur! j'en étais entièrement baigné.
C'était un printemps clair, éternel, immuable,
De parterres taillés, de sources ineffables
Et tout était choisi, sans défaut, ordonné.

Et les roses semblaient des citrouilles parfaites
Par la dimension et l'absence d'éclat
Et le parfum de ces énormes cassolettes
Était comme un parfum de tisane et d'orgeat.

Les bienheureux marchaient en mornes théories,
La vierge sans désir baissant encor les yeux,
L'épouse vertueuse avec sa peau jaunie
Et l'enfant nouveau-né dont le corps est glaireux.

Et je pus contempler leur laideur étonnante.
Ils n'étaient éclairés par aucun sentiment.
Quelques femmes montraient des poitrines pendantes.
Les groupes se croisaient géométriquement.

Ils goûtaient, sans regret des choses de la vie,
Avec affection et se tenant les mains,
Aux bords des purs ruisseaux et des calmes prairies
Les plaisirs innocents et les bonheurs divins.

«Quoi, pas même une femme et pas même une vierge,
Ai-je dit, qui malgré les azurs bleus trop clairs,
Parmi ces corps pétris dans la pâte des cierges
Ne sente le plaisir lui tourmenter la chair.

«Pas même un chérubin, qui par sa grâce double,
Son torse féminin, ses hanches d'Adonis,
Rappelle le péché délectable et son trouble
Et ses remords autant que l'amour infinis.

«N'est-il pas quelque coin où des fleurs en désordre
Sont rougeâtres avec d'émeraudes lueurs,
Ou des femmes aux bras mêlés jouent à se mordre,
Tordant avec orgueil leur corps plein d'impudeur?»

Alors je me souvins des mortes admirables,
Et des chers compagnons que j'avais tant pleurés,
C'étaient des désireux et des insatiables,
Au cœur toujours ouvert et toujours déchiré.

Et je les vis... Leurs yeux, leur forme et leur image,
Mais ils avaient perdu ta lampe, ô souvenir!
Une béatitude emplissait leur visage,
C'était là la splendeur peut-être de mourir.

Mais ils étaient pour moi plus morts que les cadavres
Que l'on voit dans les lits, déjà décomposés.
De leur morne bonheur ils étaient les esclaves,
Ils ne possédaient plus le secret du baiser.

Ils avaient oublié l'amère connaissance.
Ils n'avaient plus au front le sceau de la douleur,
Ils n'avaient plus au cœur le mal de l'espérance,
Jamais plus de leurs yeux ne couleraient des pleurs.

Et j'ai fui vers la porte ouverte sur le gouffre
Vers l'obscur escalier où le salpêtre luit,

Et j'ai baisé l'ardoise et caressé le soufre
Et joui des clartés qui tombaient de la nuit.

Et j'ai crié: «Seigneur, ton amour est sans charme!
La souffrance est trop belle, on ne peut l'oublier.
Si la vertu de Dieu ne peut verser des larmes,
Je préfère le mal qui connaît la pitié.

«Je crache sur tes lis et vomis sur tes palmes.
Ta clarté n'est pas faite avec du vrai soleil.
A tes rêves trop bleus dans les jardins trop calmes
Je préfère le cauchemar de mes sommeils.

«Je préfère la chambre étroite où je me couche
Avec le linge impur et les bouquets flétris,
La triste odeur des corps, le goût humain des bouches,
Mon paradis mauvais plein d'ombres et de cris.

«Je préfère la femme au regard immodeste,
Les peines de mes soirs, le plaisir déchirant,
Le fumier familier où croît l'arbre terrestre
Et le vice fécond qui m'a fait le cœur grand.»